Les options sur titres boursiers

Assurance
et investissement:
25 stratégies de base

À l'investisseur,
dans l'espoir que ce livre
puisse lui être utile.

Production:
Les Illustrateurs de l'Outaouais Inc.
Rockland, Ontario — Tél. (613) 446-5431

Société éducative financière internationale (SÉFI) inc.

10, rue de l'Ouest
75014 Paris
Tél. (1) 46 02 89 26

121, rue St-Pierre, suite 605
Montréal (Qc) H2Y 2L6
Tél. (514) 843-6049

Les options sur titres boursiers

Assurance
et investissement:
25 stratégies de base

par Charles K. Langford

Avant-propos

En juin 1987, la place de Paris inaugure le nouveau marché des options négociables sur actions au sein de la Compagnie des Agents de Change. Certes, quelques années se sont écoulées depuis que Chicago diffusait le premier contrat d'option d'achat en 1973. Cette création participe en fait au gigantesque mouvement d'innovation qui agite sans relâche le monde naguère tranquille de la Bourse; que ce soit la création du Second Marché, l'ouverture de la bourse du matin, la cotation en continu assistée par ordinateur ou le franc succès du MATIF, chaque année depuis 1982 apporte de nouveaux instruments.

Le marché des options négociables est une innovation de taille remplaçant les options classiques apparues en 1966, dont les caractéristiques d'exercice en limitaient considérablement l'usage et la diffusion.

Cette dernière innovation vient à son heure à PARIS avec un marché de valeurs mobilières devenu beaucoup plus sélectif après le vertigineux rétablissement des quatre dernières années.

C'est aussi pour l'investisseur une manifestation de plus de l'intégration d'une faculté de choisir en fonction de l'élargissement du nombre des opportunités qui peuvent se présenter.

On avait vu les obligations convertibles, échangeables, à fenêtre, puis les bons de souscription dont la parenté avec les options n'est plus à démontrer. Les options négociables vont être les formes les plus modernes de l'expression de sa liberté de choix, ainsi que de ses anticipations sur la vie des entreprises auxquelles elles se réfèrent.

5

C'est, à n'en pas douter, l'école la plus pertinente pour former le nouvel investisseur à acquérir non plus la propriété d'une action parce que le nom de la société est une valeur sûre et renommée, mais bien plus à apprécier et à parier sur la qualité de l'équipe de direction, sur les choix de politique et les stratégies des sociétés sous jacentes aux options.

Les options négociables présentent, en outre, vis à vis des actions, des chances de gain sans commune mesure, avec une mobilisation de capital très faible, générant un effet de levier très élevé pour autant que l'on accepte le risque de perdre en cas de choix erroné, tout ou partie de sa mise.

L'ouvrage qu'à écrit Charles K. LANGFORD est celui d'un praticien autant que d'un remarquable pédagogue. En tant que membre de l'État Major de l'une des toutes premières firmes mondiales spécialisées dans les options, il a capitalisé près de 10 années d'expérience à Montréal comme sur les marchés américains des options.

La clarté de son propos n'a d'égal que la finesse de son esprit doublée d'un sens de l'humour qui l'ont fait appeler, au Canada comme en Europe, à faire comprendre à des publics, même les moins avertis, la philosophie des options et leur utilisation comme s'il s'agissait d'un jeu.

On ne s'étonnera donc pas s'il a été sollicité pour former les opérateurs du marché des options de PARIS, et mieux encore, les mainteneurs de marché sur lesquels repose le rapide et harmonieux développement du marché.

Philippe MAUGE

Responsable de l'AFPB
(Association pour la formation des professionnels de la bourse)

Table des matières

Introduction

Ce livre veut offrir au lecteur un aperçu d'une réalité boursière qui attire de plus en plus l'intérêt des investisseurs. Les options et les stratégies connexes sont nées il y a dix ans aux États-Unis : d'abord les options d'achat et quelques années plus tard les options de vente. La *Bourse de Montréal*, souvent à l'avant-garde au Canada, a lancé les premières options canadiennes peu de temps après les É.-U.. Pendant des années les options ont été considérées par la plupart des investisseurs comme une curiosité dangereuse à cause de leur trop grand effet de levier, ou inutiles par ceux qui étaient habitués à gérer depuis des années les portefeuilles d'actions.

Une des principales raisons de la suspicion avec laquelle les options étaient vues (et sont encore vues, bien que de moins en moins) provient de deux facteurs :

(a) leur relative complexité face à la simplicité des stratégies qu'offrent les actions et

(b) leur nouveauté comme instrument de placement alors que les actions se négocient depuis pratiquement deux siècles.

Je crois que l'arrivée des options dans le monde de l'investissement crée un bouleversement comparable à celui que l'Europe a vécu au XIIIème siècle dans le monde de la comptabilité et du commerce quand sont arrivés les chiffres hindou-arabes (c'est-à-dire les 9 chiffres plus le zéro qu'on utilise aujourd'hui), les multiplications et les divisions dans un monde qui savait seulement utiliser le boulier, l'addition et la soustraction. Les chiffres étaient alors composés d'une façon rudimentaire par des lettres alphabétiques.

Le nombre de stratégies possibles, en combinant les options d'achat, de vente et les actions, est d'environ 600, alors que ce livre vous en offre seulement 25. Les 575 autres sont en bonne partie des variations de celles-ci. Elle vous viendront à l'esprit à la lecture de celles que vous trouverez dans ce livre et vous pourrez les évaluer en utilisant la même méthode que ce texte vous offre pour les 25 présentées.

Un nombre minimum de 10 stratégies ne font pas partie de celles que vous pourriez envisager : il s'agit de celles qui sont propres aux « arbitrageurs », c'est-à-dire à ceux qui font des différences minimes de prix des actions ou des primes des options une occasion de profit à l'intérieur d'une même bourse ou entre deux bourses. Il s'agit de professionnels qui ont l'énorme avantage de ne pas payer de commissions pour leurs transactions.

Après quelques années d'existence des options d'achat et de vente, deux principales tendances d'investissement se dessinent : d'un côté, on trouve les investisseurs qui affrontent le marché à la hausse ou à la baisse avec des stratégies d'achat ; d'un autre côté, on trouve les investisseurs qui croient que le marché boursier, la plupart du temps, ne va nulle part et qui procèdent donc systématiquement à des ventes initiales pour empocher la valeur temps et, des fois, la valeur intrinsèque.

Souvent je me suis posé la question : l'option est-elle un investissement ou une protection ? La réponse n'est pas encore venue. Je la laisse au lecteur qui aura la patience de lire ce texte.

Chapitre 1

Voici ce qu'est une option

Caractéristiques d'une option

Une option est un droit d'acheter ou de vendre : une option d'achat est un droit (non une obligation) d'acheter ; une option de vente est un droit (non une obligation) de vendre.

Une option d'achat sur actions donne le droit d'acheter (normalement) 100 actions du titre sous-jacent. Exemple : une option d'achat sur *Alcan* donne le droit à son détenteur d'acheter 100 actions d'*Alcan* (pas d'autres).

Une option de vente sur actions donne le droit de vendre (normalement) 100 actions du titre sous-jacent. Exemple : une option de vente *Banque de Montréal* donne le droit de vendre 100 actions de ce titre.

Naturellement, le droit d'achat et de vente s'exerce à un prix déterminé, établi à la naissance de l'option : c'est le prix d'exercice ou de levée.

Ainsi, une option d'achat 40 sur *Alcan* donne le droit d'acheter 100 actions de *Alcan* à 40 $ chacune.

Une option de vente 27,50 *Banque de Montréal* donne le droit de vendre 100 actions de ce titre au prix de 27,50 $ chacune. Il est naturel de se demander si ce droit dure éternellement ou s'il y a une échéance. Il y a en a toujours une. Elle s'appelle la date d'expiration. Ainsi, une option d'achat *Alcan* mai/40 donne le droit à son détenteur d'acheter 100 actions d'*Alcan* à 40 $ chacune à n'importe quel moment dans la période de temps qui va du moment de l'achat de l'option jusqu'au 3ième vendredi du prochain mois de mai. Naturellement il peut vendre son option avant : son droit d'exercer cesse alors, au moment de la vente de l'option.

Une option de vente *Banque de Montréal* août/27,50 donne le droit à son détenteur de vendre 100 actions de ce titre à 27,50 $ chacune, dans la période qui va du moment de l'achat de l'option jusqu'à sa revente, mais pas au-delà du 3ième vendredi du prochain mois d'août.

Si le détenteur d'une option d'achat décide d'exercer, il devient propriétaire de 100 actions, en échange desquelles il doit payer un certain montant : dans le cas d'*Alcan* mai/40 il doit débourser 4 000 $ (40 $ x 100) plus commission.

Si le détenteur d'une option de vente décide d'exercer, il encaisse un certain montant en échange des actions qu'il doit céder. Dans le cas de l'option de vente sur *Banque de Montréal* août/27,50, le détenteur qui exerce vend 100 actions de ce titre et il encaisse 2 750 $ (27,50 $ x 100), moins la commission.

La valeur d'une option

Une option est l'« ombre » du titre correspondant, dans le sens que sa valeur dépend de celle du titre : elle varie en fonction de celui-ci.

Son détenteur n'a pas le droit de recevoir les éventuels dividendes distribués aux actionnaires. Posséder des actions signifie être copropriétaire d'une entreprise : c'est donc un bien réel. S'il s'agit d'une compagnie qui correspond à certaines caractéristiques, le détenteur peut utiliser ses actions pour emprunter de l'argent. L'option n'a pas le même sens, ni le même pouvoir : c'est un bien « périssable ». Elle a une fin et sa valeur peut tomber à zéro.

Uniformité des options

Les bourses ont standardisé les prix de levée et les mois d'échéance.

Les prix de levée sont espacés d'une différence fixe, par exemple 2,50 $ ou de 5,00 $, selon le prix du titre. Les mois d'échéance sont basés sur trois cycles. Chaque cycle est formé de 4 mois d'échéance, espacés de 3 mois :

1. janvier-avril-juillet-octobre ;

2. février-mai-août-novembre ;

3. mars-juin-septembre-décembre.

Même si les échéances prévues sont au nombre de 4, seulement trois sont disponibles, qui couvrent ensemble une période minimum de 6 mois et maximum de 9 mois. Prenons le cas du premier cycle, par exemple. En janvier, avant le 3ième vendredi, l'échéance la plus éloignée disponible est celle de juillet (environ 6 mois). Le lundi suivant le 3ième vendredi de janvier, l'option avec échéance octobre (environ 9 mois) devient disponible et cotée.

La date d'échéance à l'intérieur du mois donné tombe le 3ième vendredi de chaque mois. Le détenteur qui veut exercer son option a le droit de le faire en tout temps avant l'échéance. À l'approche de celle-ci, il est toutefois prudent que l'investisseur se renseigne auprès de son courtier sur la date et l'heure limite d'exercice.

On dira que le mois d'échéance le plus proche est à court terme, l'intermédiaire à moyen terme et le plus éloigné à long terme.

D'autres caractéristiques définissent les options. **Les classes et les séries.** On définit la **classe** d'options comme l'ensemble des options d'achat et de vente appartenant à un titre en particulier. Exemple : toutes les options d'achat et de vente sur *Alcan* font partie de la même classe. Une **série** est le détail d'une classe.

Les options d'achat et de vente d'*Alcan* ayant la même échéance et le même prix de levée (par exemple : mai/40) forment une série.

Transactions initiales et finales. Une transaction initiale est un achat ou une vente. Un achat initial sera suivi par une vente finale et une vente initiale précédera l'achat final. L'achat ou la vente initiale ajoute des positions dans le compte d'un client. La vente ou l'achat final réduit le nombre de positions dans le compte du client.

Options en circulation. À la différence des actions dont le nombre est fixé par le capital-actions émis, le nombre d'options en circulation, par série et par classe, ne dépend que de l'intérêt des investisseurs. Ainsi, l'achat ou la vente initiale de 10 options fait augmenter de 10 le nombre d'options en circulation. La vente ou l'achat final de 10 options fera diminuer de 10 le nombre d'options en circulation. Le nombre d'options en circulation ne fait pas de distinction entre achats et ventes initiales. Ce nombre ne donne à l'investisseur qu'une indication sur la liquidité du marché. Plus ce nombre est grand, plus il sera facile pour lui d'établir des positions avec un grand nombre d'options.

Acheteur initial et vendeur initial. L'acheteur initial d'une option d'achat ou d'une option de vente a le **droit** d'exercer, c'est-à-dire d'acheter ou de vendre normalement 100 actions du titre auquel appartient l'option. Le vendeur initial d'une option d'achat ou de vente s'**oblige** à vendre ou à acheter normalement 100 actions du titre soujacent s'il est exercé.

Relation entre le prix de levée et le prix du titre

Une option d'achat est définie « **en dedans** » si son prix de levée est inférieur au prix du titre correspondant. Par exemple, si le $ Can. est à $ U.S. 0,7325, l'option d'achat sept/71 est en-dedans parce que 71 est inférieur à 0,7325. Une option d'achat est dite « **en dehors** » si le prix de levée est supérieur au prix du titre. Si *Oba 01* (Obligation du Canada 2001 à 9,5 %) est à 84, l'option d'achat sept/87-4 est en dehors. Une option d'achat ou de vente est définie **au milieu** si le prix du titre et celui de levée sont indentiques. Par exemple, si *Alcan* est à 40 $, l'option d'achat ou de vente mai/40 est au milieu.

Une option de vente est en dedans si le prix de levée est supérieur à celui du titre, comme, par exemple, l'option de vente *Northern Telecom* oct/55 quand le titre est à 54 $. La même option de vente est en dehors si le prix du titre est à 56 $.

On entend par **valeur intrinsèque** de la prime la différence entre le prix de levée et le prix du titre. Si le prix de levée est en dehors ou au milieu, la valeur intrinsèque est nulle. La partie de la prime qui est supérieure à la valeur intrinsèque est dite **valeur temps**. Par exemple, si la prime de l'option d'achat *Banque de Montréal* mai/22-4 est 3,00 $ et le titre est à 24,4 $, la valeur intrinsèque est de 2,00 $ et la valeur temps est de 1,00 $. En résumé, la formule qui donne la valeur temps d'une option d'achat est : valeur temps = prime de l'option - prix du titre + prix de levée.

Exemple : *Alcan* à 37-7 $; l'option d'achat mai/37-4 à 2,20 $. L'application de la formule donne : valeur temps = 2,20 $ - 37,875 $ + 37,50 $ = 1,825 $.

Dans le cas d'une option de vente, la formule est : valeur temps = prime de l'option - prix de levée + prix du titre.

Exemple : *Xxm* (indice de la Bourse de Montréal) à 129 ; l'option de vente avril/130 à 1,50 $. Valeur temps = 1,50 $ - 130 $ + 129 $ = 0,50 $.

On dit qu'une prime d'option est à **parité** quand la prime de l'option est égale à la valeur intrinsèque. Par exemple si *Noranda* est à 19 $ et l'option d'achat août/17-4 est à 1,50 $, on dira que la prime est à parité.

Facteurs qui influencent la prime des options

La prime d'une option est influencée par quatre facteurs majeurs et deux mineurs. Les 4 facteurs les plus déterminants sont :

1. le prix de levée de l'option ;

2. le prix du titre correspondant ;

3. le temps qui reste à l'échéance de l'option ;

4. la volatilité du titre correspondant.

Les deux facteurs moins influents sont :

1. le dividende du titre correspondant ;

2. le taux d'intérêt des *Bons du Trésor*.

L'influence des dividendes varie avec leur importance relative par rapport au prix du titre correspondant. Les *Bons du Trésor* représentent le type de placement dans lequel le risque est jugé nul.

Comment ces facteurs influencent la prime

Prix du titre et prix de levée. La prime d'une option est formée de deux composantes : la valeur intrinsèque et la valeur temps. Dans le cas d'une option d'achat, la valeur intrinsèque est égale à la différence entre le prix du titre et le prix de levée (à l'échéance de l'option, la prime est toujours égale à la valeur intrinsèque).

Par exemple, avec *Nor Tel* à 47 $ et l'option d'achat juillet/45 à 5 $, la valeur intrinsèque de la prime est de 2 $ (47 $ - 45 $) et la valeur temps est égale à 3 $. Si *Nor Tel* est encore à $47 à l'échéance, la valeur temps n'existera plus.

La valeur intrinsèque est nulle avec *Nor Tel* à 47 $ et l'option d'achat juillet/50 à 2,30 $. En effet, la différence entre 47 $ et 50 $ est négative. Puisque la prime est de 2,30 $, cette valeur est seulement de la valeur temps. À l'échéance, si le titre est à 50 $ ou moins, l'option expirera sans valeur : la prime sera alors égale à zéro.

Dans le cas d'une option de vente, la valeur intrinsèque est égale à la différence entre le prix de levée et celui du titre. La partie restante de la prime est la valeur temps. À l'échéance, la valeur temps est disparue et la prime ne reflète que la valeur intrinsèque. Par exemple, l'option de vente *Nor Tel* juillet/50 à 3,75 $ et le titre à 47 $ indiquent que la valeur intrinsèque est égale à 3,00 $ (50 $ - 47 $) et la valeur temps est de 0,75 $ (3,75 $ - 3,00 $). Pour le même prix du titre, l'option de vente juillet/45 peut valoir 1,50 $. Dans ce cas, la valeur intrinsèque est nulle et la valeur temps est donnée par la prime en entier. Voici un tableau résumé :

Dans le cas d'une	Prix du titre	Prix de levée	Prime	Valeur intrins.	Valeur temps	Position
o. d'achat	47 $	45 $	5,00 $	2,00 $	3,00 $	en dedans
o. d'achat	47-1/2 $	47-1/2 $	4,10 $	0	4,10 $	au milieu
o. d'achat	47 $	50 $	2,30 $	0	2,30 $	en dehors
o. de vente	47 $	45 $	1,50 $	0	1,50 $	en dehors
o. de vente	47-1/2 $	47-1/2 $	2,90 $	0	2,90 $	au milieu
o. de vente	47 $	50 $	3,75 $	3,00 $	0,75 $	en dedans

À l'échéance, la colonne des valeurs temps n'indiquera que des zéros et il y aura de la valeur intrinsèque seulement dans les options dont la position est en dedans.

La valeur temps. La valeur temps d'une prime s'effrite au fur et à mesure que le temps passe, mais la diminution n'est pas proportionnelle à l'approche de l'échéance : elle est beaucoup plus rapide vers la fin de l'existence de l'option. Par exemple, au début d'avril la prime de l'option d'achat *Alcan* mai/40 est de 0,25 $ et celle de novembre/40 est de 1,70 $. Le titre est à 36 $. Dans les deux cas la valeur intrinsèque est nulle : les deux options sont en dehors. La prime est formée seulement de la valeur temps. Dans le cas de l'option de mai, la valeur temps par mois est considérablement inférieure à celle de l'option de novembre.

En effet, 0,25 $ divisé par 2 (les deux mois qui restent à l'échéance) donne 0,13 $ par mois, tandis que 1,70 $ divisé par 8, le nombre de mois qui séparent l'option novembre de son échéance, donne 0,21 $ par mois.

L'effritement de la valeur temps correspond à une décroissance géométrique du temps qui reste. Par exemple, à 3 mois de l'échéance, le rythme du décroissement est le double de celui à 9 mois de l'échéance parce que 3 est aussi le résultat de la racine carrée de 9. À 51 jours de l'échéance, la diminution de la valeur temps est le double de celle à 3 mois parce que la racine carrée de 3 est égale à 1,71 ou 51 jours. La valeur temps tend à s'effriter quand l'option devient de plus en plus en dedans.

La volatilité. D'une façon simplifiée, on peut comparer la volatilité avec l'ampleur de la différence entre les cours extrêmes d'un titre. Par exemple, si dans les dernières 52 semaines, le cours le plus élevé atteint par AAA est 39-7/8 $ et le plus bas a été 34-1/4 $, la différence est de 5-5/8 $ ou 16,4 % de variation par rapport au cours inférieur. Dans le cas de BBB, le haut a été de 72-7/8 $ et le bas 59 $ dans la même période: une variation de 13-7/8 $ ou 23,5 %. La conclusion est la suivante : BBB est plus volatile que AAA, donc les primes des options de BBB ont tendance à être plus élevées que celle de AAA parce qu'on peut s'attendre à un plus grand mouvement de prix dans BBB que dans AAA dans le proche avenir.

La volatilité peut s'exprimer sur une période plus brève ou plus longue de 52 semaines. En réalité, le concept de volatilité est statistiquement plus complexe et différent. La volatilité est la déviation standard, c'est-à-dire qu'elle représente environ 68 % des chances que le prix de l'action se trouvera dans un futur déterminé entre le prix actuel plus la volatilité et le prix actuel moins la volatilité.

Les dividendes. Si la compagnie ne distribue pas normalement de dividendes, les seuls facteurs qui comptent sont les 4 précédents plus le taux d'intérêt à 3 mois. Si les dividendes existent, leur influence tend à déprimer la prime des options d'achat : plus les dividendes sont élevés par rapport au prix du titre, plus la prime de l'option d'achat et de celle de vente sont sensibles à leurs fluctuations. Des dividendes normalement élevés tendent à déprimer la prime des options d'achat parce qu'à chaque jour ex-dividende (habituellement 4 fois par année, à intervalles de 3 mois), la prime tend à diminuer de la valeur correspondante au dividende trimestriel. La raison est simplement : la cote d'un titre englobe le dividende à payer.

L'annonce du paiement réduit théoriquement la prime du même montant correspondant au montant du dividende. Exemple : le titre AAA annonce le 24 mars la distribution de 1,00 $ en dividendes et le jour ex-dividende est le 30 avril. Le 29 avril est le dernier jour dans lequel on peut être inscrit dans le livre des actionnaires et donc encaisser le 1,00 $ par action : ceux qui seront inscrits seulement le lendemain n'auront pas droit à ce dividende. Ceci aura pour effet de réduire la valeur du titre de 1,00 $ le 30 avril.

Tout ce raisonnement peut se révéler purement théorique parce que la présence d'autres facteurs, qui agissent en contradiction avec le facteur dividende, peuvent annuler, partiellement ou entièrement, ce dernier facteur.

Le taux d'intérêt à 3 mois. Ce taux d'intérêt est celui des *Bons du Trésor :* le véhicule de placement par excellence considéré sans risque. Son influence peut, à première vue, paraître contradictoire. En effet, plus les taux d'intérêt sont élevés, plus la prime des options d'achat est élevée et celle des options de vente, basse. Une des raisons de cette influence vient du fait que le taux d'intérêt est utilisé dans les formules qui calculent la valeur théorique des primes. Une autre vient du comportement des arbitrageurs sur les parquets des bourses.

À ces facteurs officiels, il faut en ajouter un autre qui n'est pas quantifiable et dont la durée peut être plus ou moins longue : il s'agit de l'opinion des investisseurs. L'optimisme ou le pessimisme de ces derniers peut accentuer un marché haussier ou baissier.

Voici un tableau récapitulatif de l'influence des 4 facteurs majeurs et des 2 mineurs:

Facteurs: si...	La valeur théorique de l'option d'achat	l'option de vente
le prix de levée plus haut	plus bas	plus haut
le prix du titre en hausse	augmente	diminue
le temps passe	diminue	diminue
la volatilité en hausse	augmente	augmente
les dividendes en hausse	diminue	augmente
l'intérêt des Bons du Trésor en hausse	augmente	diminue

Chapitre 2

Les caractéristiques des options

La volatilité

Il y a au moins deux types de volatilité : la volatilité historique et la volatilité implicite.

La volatilité implicite est celle qui est propre au moment. Par exemple, un événement majeur en politique peut soudainement faire augmenter ou diminuer la valeur des actions et donc des primes des options. Son calcul, d'aucune utilité pour les investisseurs, est fait par les spécialistes des bourses avec la formule mathématique de *Black & Scholes*.

La volatilité historique est obtenue en faisant le calcul de la déviation standard du titre. La plupart des calculatrices de poche, financières ou scientifiques, font ce calcul en introduisant les données, c'est-à-dire en fournissant à la calculatrice la série de fermetures d'un titre sur plusieurs jours, semaines ou mois.

Le résultat sous la forme de % nous dit qu'il y a 68 % de probabilité (c'est une loi statistique) que le titre en question sera dans le futur à un prix compris entre le prix actuel plus ce % et le prix actuel moins ce %. Par exemple, si AAA se trouve à 10 $ et la volatilité ainsi calculée sur la période d'un mois est de 10 %, on dira qu'il y a 68 % de chances de trouver AAA entre 9 $ et 11 $ d'ici à un mois.

Une méthode « cuisine » pour avoir un aperçu de la volatilité d'un titre consiste à faire le calcul suivant :

$$\frac{H \cdot B}{\dfrac{H + B}{2}} \times 100$$

Dans cette formule H et B sont respectivement le haut et le bas des 52 dernières semaines.

Par exemple, si AAA a fait un haut de 11 $ et un bas de 9 $ dans les dernières 52 semaines, l'application de la formule donne une volatilité « cuisine » sur un an de 20 %. Ce calcul ne remplace pas celui de la déviation standard mais permet de comparer tous les titres entre eux en fonction des variations qui leur sont propres.

Le « delta » :
l'ensemble des facteurs qui influencent la prime

L'ensemble des facteurs qui influencent la prime des options se résume dans un concept appelé « delta ». Le delta signifie trois choses :

(a) *la corrélation entre la variation de la prime des options et celle de l'action sous-jacente.* Par exemple, si le prix de l'action augmente de 1 $, de combien augmente la prime de l'option d'achat ? Plus l'option est en dedans, plus la corrélation approche de 1 : dans ce cas, 1 $ d'augmentation de l'action fait augmenter de presque 1 $ la prime de l'option d'achat.

Si l'action est au milieu, le delta est proche de 0,50 : l'augmentation de 1 $ dans la valeur de l'action fait augmenter de seulement 0,50 $ la prime de l'option.

Plus l'option est en dehors, plus le delta est bas : par exemple, l'augmentation de 1 $ dans le prix de l'action peut déterminer une augmentation de quelques cents seulement dans la valeur de la prime de l'option d'achat.

(b) *le pourcentage de probabilité que l'option expire en dedans.* Un delta égale à 0,80 indique qu'il y a 80% des chances que l'option expire en dedans.

(c) *l'équivalence en actions.* Par exemple, un delta de 0,50 indique qu'une option de vente équivaut seulement à 50 actions.

Si je suis acheteur de 100 actions et acheteur d'une option de vente au milieu, cette dernière ne me protège qu'à 50%, au moins dans les environs du milieu. En effet, une baisse de 1 $ dans le prix de l'action ne se traduit que par l'augmentation de 0,50 $ (au milieu, le delta est égal à environ 0,50). Il faudrait dans ce cas acheter deux options de vente pour avoir une protection totale au milieu.

Le delta d'une option d'achat est calculé à partir de la formule de *Black & Scholes.* Celle-ci calcule en outre la valeur théorique des options d'achat et de vente quand on lui fournit les caratéristiques des facteurs qui influencent les primes.

Les amateurs peuvent trouver dans les pages suivantes un programme en langage Basic de cette formule, adaptée à un ordinateur IBM PC. Plus que la formule en soi, le lecteur peut trouver intéressante la corrélation entre le changement des variables tels le temps avant l'échéance ou la volatilité et le changement dans la valeur théorique de primes et du delta. Le delta indiqué est celui des options d'achat. Le delta d'une option de vente est égal à celui de l'option d'achat moins 1. Par exemple, si le delta d'une option d'achat est 0,80, celui de l'option de vente correspondante est -0,20.

En réalité, la seule importance du concept de delta pour l'investisseur réside dans l'analyse des variations des primes quand l'option est en dehors, en dedans ou au milieu et quand on s'approche de l'échéance où on a une variation dans la volatilité.

Une utilisation approfondie du delta et des valeurs théoriques des options qui découlent de la formule appartient uniquement aux mainteneurs de marché et aux spécialistes du parquet.

```
50 REM VOLATILITE
100 FJ$=MID$(DATE$,4,3):FM$=LEFT$(DATE$,3):FA$=RIGHT$(DATE$,4)
110 FD$=FJ$+FM$+FA$
250 REM PROGRAMME POUR LE CALCUL DE LA PRIME THEORIQUE DES OPTIONS D'ACHAT, DE
VENTE ET DU DELTA (AVEC IBM PC).
300 CLS:KEY OFF
350 DIM B(15):DIM O(15)
400 PRINT "***** PROGRAMME SUR LES OPTIONS ****"
450 DIM S(15):DIM Q(15)
500 REM ENTREE DES VARIABLES.
550 INPUT "NOMBRE DE JOURS AVANT L'ECHEANCE DE L'OPTION: ";D
600 LET T=D/365
625 INPUT "INSCRIRE LE NOM DE L'ACTION: ";STK$
630 STK$=LEFT$(STK$,20)
650 INPUT "INSCRIRE LE PRIX DE LEVEE INFERIEUR:$";S(1)
700 INPUT "INSCRIRE LE PRIX DE LEVEE SUPERIEUR:$";S(2)
750 INPUT "INSCRIRE L'INTERVALLE ENTRE LES PRIX DE LEVEE:";S(7)
800 INPUT "INSCRIRE LE PLUS BAS PRIX DE L'ACTION:$";Q(1)
850 INPUT "INSCRIRE L'INTERVALLE DE PRIX DE L'ACTION:";Q(7)
900 INPUT "INSCRIRE LE PLUS HAUT PRIX DE L'ACTION:$";Q(2)
950 INPUT "INSCRIRE LE TAUX D'INTERET (EX.: 10):";R
1000 LET R=R/100
1050 INPUT "INSCRIRE LA VOLATILITE (EX.: .25):";V
1100 INPUT "INSCRIRE LE DIVIDENDE PAR ACTION: ";O(1)
1150 INPUT "INSCRIRE LE NOMBRE DE JOURS AVANT LE JOUR EX-DIVIDENDE:";AA:O(2)=AA
1200 O(2)=O(2)/30
1250 REM CALCULS
1275 PRINT TAB(10);:PRINT STK$;:PRINT TAB(39);:PRINT FD$
1280 LPRINT:LPRINT:LPRINT
1300 PRINT TAB(17);:PRINT "O. D'ACHAT    O. DE VENTE    DELTA"
1350 LPRINT TAB(10);:LPRINT STK$;:LPRINT TAB(39);:LPRINT FD$
1375 LPRINT TAB(17);:LPRINT "O. D'ACHAT    O. DE VENTE    DELTA"
1380 LPRINT
1400 FOR Q=Q(1) TO Q(2) STEP Q(7)
1450 FOR S=S(1) TO S(2) STEP S(7)
1500 IF S=S(1) THEN PRINT "        PRIX DE L'ACTION: $";Q
1550 IF S=S(1) THEN LPRINT "     PRIX LEVEE    PRIX ACTION: $";Q
1600 O(3)=(O(1)*R)*(O(2)/12)
1650 O(4)=O(1)-O(3)
1700 O(5)=Q-O(4)
1750 REM COMPUTE D1
1800 LET X=LOG(O(5)/S)
1850 LET Y=V*(T^.5)
```

```
1900 LET W=R+((V^2)/2)
1950 LET Z=R-((V^2)/2)
2000 LET B=W*T
2050 LET C=Z*T
2100 LET F=(X+B)/Y
2150 LET G=(X+C)/Y
2200 LET U=(2.71828^(-(F^2)/2))/2.5066
2250 LET E=1/(1+(.3327*(ABS(F))))
2300 LET H=E*(.4362-(.12*(E))+(.9371*(E^2)))
2350 IF F>=0 THEN GOTO 2500
2400 I=H*U
2450 GOTO 2550
2500 I=1-(H*U)
2550 LET L=(2.71828^(-(G^2)/2))/2.5066
2600 LET K=1/(1+(.3327*(ABS(G))))
2650 LET J=K*(.4362-(.12*(K))+(.9371*(K^2)))
2700 IF G>=0 THEN GOTO 2850
2750 M=L*J
2800 GOTO 2900
2850 M=1-(L*J)
2900 LET N=(2.71828^((-R)*T))
2950 LET P=(Q(5)*I)-(S*N*M)
3000 LET A(1)=2.71828^(R*T)
3050 LET A(2)=1-M
3100 LET A(3)=(1-I)
3150 LET A(4)=(S*N*A(2))-(Q*A(3))
3200 LET P=INT(P*10^3+.5)/INT(10^3+.5)
3250 LET A(4)=INT(A(4)*10^3+.5)/INT(10^3+.5)
3300 LET I=INT(I*10^3+.5)/INT(10^3+.5)
3350 PRINT TAB(14);P,A(4),I
3355 LPRINT TAB(10);:LPRINT USING "###.# ";S;
3360 LPRINT TAB(20):LPRINT USING "##.##       ";P,A(4),I
3400 REM LPRINT TAB(20);P,A(4),I
3450 NEXT S
3500 NEXT Q
3510 LPRINT:LPRINT:LPRINT
3520 LPRINT "      DATE D'AUJOURD'HUI:";FD$
3550 LPRINT "      NOMBRE DE JOURS AVANT L'ECHEANCE:";D
3600 LPRINT "      LE PRIX DE LEVEE INFERIEURE:$";S(1)
3650 LPRINT "      LE PRIX DE LEVEE SUPERIEUR:$";S(2)
3700 LPRINT "      L'INTERVALLE DES PRIX DE LEVEE:";S(7)
3750 LPRINT "      LE PLUS BAS PRIX DE L'ACTION:$";Q(1)
3800 LPRINT "      L'INTERVALLE DE PRIX DE L'ACTION:";Q(7)
3850 LPRINT "      LE PLUS HAUT PRIX DE L'ACTION:$";Q(2)
3900 LPRINT "      LE TAUX D'INTERET (EX.: 10):";R
3950 LPRINT "      LA VOLATILITE (EX.: .25):";V
4000 LPRINT "      DIVIDENDE PAR ACTION: ";O(1)
4050 LPRINT "      NOMBRE DE JOURS AVANT LE JOUR EX-DIVIDENDE: ";AA
4060 LPRINT:LPRINT
4150 END
```

AAAAA			07-07-1985
	O. d'achat	O. de vente	Delta
Prix levée	Prix action:	31 $	
27,5	3,36	0,14	0,84
30,0	1,67	0,65	0,60
32,5	0,67	1,83	0,32
35,0	0,21	3,63	0,13
37,5	0,06	5,83	0,04
40,0	0,01	8,21	0,01
Prix levée	Prix action:	32 $	
27,5	4,24	0,07	0,90
30,0	2,32	0,41	0,70
32,5	1,04	1,31	0,43
35,0	0,38	2,87	0,20
37,5	0,11	4,93	0,08
40,0	0,03	7,24	0,02
Prix levée	Prix action:	33 $	
27,5	5,16	0,04	0,94
30,0	3,07	0,25	0,79
32,5	1,53	0,91	0,54
35,0	0,63	2,20	0,29
37,5	0,21	4,07	0,12
40,0	0,06	6,29	0,04
Prix levée	Prix action:	34 $	
27,5	6,12	0,02	0,97
30,0	3,90	0,14	0,86
32,5	2,12	0,60	0,65
35,0	0,97	1,64	0,39
37,5	0,37	3,29	0,19
40,0	0,12	5,37	0,07
Prix levée	Prix action:	35 $	
27,5	7,09	0,01	0,98
30,0	4,79	0,08	0,91
32,5	2,82	0,39	0,74
35,0	1,41	1,19	0,49
37,5	0,59	2,50	0,27
40,0	0,21	4,51	0,12
Prix levée	Prix action:	36 $	
27,5	8,08	0,00	0,99
30,0	5,72	0,04	0,95
32,5	3,60	0,24	0,81
35,0	1,95	0,83	0,60
37,5	0,90	1,99	0,36
40,0	0,35	3,71	0,17

Date d'aujourd'hui: 07-07-1985
Nombre de jours avant l'échéance: 75
Le prix de levée inférieure: 27,5 $
Le prix de levée supérieure: 40 $
L'intervalle des prix de levée: 2,5
Le plus bas prix de l'action: 31 $
L'intervalle de prix de l'action: 1
Le plus haut prix de l'action: 36 $
Le taux d'intérêt (Ex.: 10): 10
La volatilité (Ex.: ,25): ,25
Dividende par action: 1
Nombre de jours avant le jour ex-dividende: 30

AAAAA			07-07-1985
	O. d'achat	O. de vente	Delta
Prix levée	Prix action:	31 $	
27,5	2,76	0,01	0,93
30,0	0,89	0,24	0,56
32,5	0,14	1,55	0,14
35,0	0,01	3,78	0,01
37,5	0,00	6,25	0,00
40,0	0,00	8,73	0,00
Prix levée	Prix action:	32 $	
27,5	3,72	0,01	0,98
30,0	1,54	0,07	0,74
32,5	0,34	0,90	0,28
35,0	0,04	2,84	0,04
37,5	0,00	5,25	0,00
40,0	0,00	7,73	0,00
Prix levée	Prix action:	33 $	
27,5	4,70	0,00	0,99
30,0	2,35	0,01	0,87
32,5	0,71	0,45	0,46
35,0	0,11	1,98	0,11
37,5	0,01	4,26	0,01
40,0	0,00	6,73	0,00
Prix levée	Prix action:	34 $	
27,5	5,70	0,00	1,00
30,0	3,26	0,00	0,95
32,5	1,27	0,19	0,65
35,0	0,27	1,25	0,22
37,5	0,03	3,31	0,04
40,0	0,00	5,73	0,00
Prix levée	Prix action:	35 $	
27,5	6,70	0,00	1,00
30,0	4,23	0,00	0,98
32,5	1,99	0,06	0,80
35,0	0,57	0,71	0,38
37,5	0,09	2,42	0,09
40,0	0,01	4,74	0,01
Prix levée	Prix action:	36 $	
27,5	7,70	0,00	1,00
30,0	5,22	0,00	0,99
32,5	2,84	0,01	0,90
35,0	1,04	0,35	0,56
37,5	0,22	1,64	0,18
40,0	0,03	3,78	0,03

Date d'aujourd'hui: 07-07-1985
Nombre de jours avant l'échéance: 25
Le prix de levée inférieure: 27,5 $
Le prix de levée supérieure: 40 $
L'intervalle des prix de levée: 2,5
Le plus bas prix de l'action: 31 $
L'intervalle de prix de l'action: 1
Le plus haut prix de l'action: 36 $
Le taux d'intérêt (Ex.: 10): 10
La volatilité (Ex.: ,25): ,25
Dividende par action: 1
Nombre de jours avant le jour ex-dividende: 30

AAAAA			07-07-1985
	O. d'achat	O. de vente	Delta
Prix levée	Prix action:	31 $	
27,5	4,39	1,04	0,72
30,0	3,00	1,97	0,58
32,5	1,97	3,25	0,44
35,0	1,25	4,85	0,32
37,5	0,76	6,72	0,22
40,0	0,46	8,78	0,14
Prix levée	Prix action:	32 $	
27,5	5,13	0,84	0,77
30,0	3,61	1,63	0,64
32,5	2,44	2,77	0,50
35,0	1,59	4,25	0,37
37,5	1,00	6,00	0,26
40,0	0,62	7,98	0,18
Prix levée	Prix action:	33 $	
27,5	5,92	0,67	0,81
30,0	4,27	1,34	0,69
32,5	2,97	2,36	0,55
35,0	1,99	3,70	0,43
37,5	1,29	5,34	0,31
40,0	0,81	7,22	0,22
Prix levée	Prix action:	34 $	
27,5	6,75	0,53	0,84
30,0	4,98	1,10	0,73
32,5	3,55	1,99	0,61
35,0	2,44	3,20	0,48
37,5	1,62	4,72	0,36
40,0	1,05	6,50	0,26
Prix levée	Prix action:	35 $	
27,5	7,61	0,41	0,87
30,0	5,74	0,90	0,78
32,5	4,18	1,67	0,66
35,0	2,94	2,76	0,53
37,5	2,01	4,15	0,41
40,0	1,34	5,82	0,30
Prix levée	Prix action:	36 $	
27,5	8,49	0,32	0,90
30,0	6,53	0,73	0,81
32,5	4,86	1,40	0,70
35,0	3,50	2,36	0,58
37,5	2,44	3,64	0,46
40,0	1,66	5,20	0,35

Date d'aujourd'hui: 07-07-1985
Nombre de jours avant l'échéance: 75
Le prix de levée inférieure: 27,5 $
Le prix de levée supérieure: 40 $
L'intervalle des prix de levée: 2,5
Le plus bas prix de l'action: 31 $
L'intervalle de prix de l'action: 1
Le plus haut prix de l'action: 36 $
Le taux d'intérêt (Ex.: 10): 10
La volatilité (Ex.: ,25): ,5
Dividende par action: 1
Nombre de jours avant le jour ex-dividende: 30

Commentaire sur les valeurs théoriques des options d'achat, de vente et du delta obtenues avec le programme basé sur le modèle de Black & Scholes.

Il faut considérer les données de la première page comme celles de base pour ensuite voir les modifications apportées aux valeurs théoriques des options d'achat, de vente et du delta quand on réduit le temps à l'échéance (deuxième page des valeurs théoriques) ou on augmente la volatilité (troisième page des valeurs théoriques).

Le delta donné est celui des options d'achat. Le delta des options de vente correspondantes est égal à 1 moins le delta de l'option d'achat. Par exemple, le delta de l'option d'achat 27,50 quand l'action sous-jacente est à 31 $ est : 0,84. Le delta de l'option de vente avec les mêmes caractéristiques est : 0,84-1 = -0,16 (le signe indique simplement que le prix de l'action et la prime de l'option de vente vont dans des directions opposées).

Diminution du temps qui reste à l'échéance de l'option.

La prime de l'option en dedans diminue en % moins que celle au milieu et cette dernière moins que celle en dehors, au fur et à mesure que le temps passe. Ceci s'explique par le fait que la prime des options au milieu et en dehors n'est formée que de la valeur temps, alors que la prime de l'option en dedans contient une valeur intrinsèque.

Changement de la volatilité.

Si la volatilité augmente (troisième page des valeurs théoriques par rapport à la première) la prime des options en dedans augmente en % moins que celle de l'option au milieu et cette dernière moins que celle de l'option en dehors.

Conclusion.

L'investisseur conservateur préfère les options en dedans, tandis que l'investisseur qui préfère un plus grand risque dans l'espoir d'un profit plus grand choisit les options en dehors.

L'investisseur moyen est plutôt porté vers les options au milieu, dans lesquelles les risques et les profits potentiels sont à moitié chemin.

Exercer et être exercé

Le propriétaire d'une option (l'acheteur initial) a le droit d'exercer, c'est-à-dire de recevoir (dans le cas d'une option d'achat) ou de vendre (dans le cas d'une option de vente) les 100 actions correspondantes au prix de levée. Ce droit est satisfait parce que le détenteur de la contrepartie (le vendeur initial) s'est obligé à livrer le titre (dans le cas d'une option d'achat) ou de l'acheter (dans le cas d'une option de vente).

Cette obligation doit être strictement respectée : si l'investisseur faisait défaut, c'est la maison de courtage qui doit faire respecter l'obligation de son client vis-à-vis la compagnie de compensation. Celle-ci est l'organisme qui s'engage à faire en sorte que tous les acheteurs trouvent toujours un vendeur et, vice-versa, que tous ceux qui veulent exercer leur option aient la contrepartie.

Voici un exemple : l'investisseur qui possède une option d'achat mai/40 de la compagnie AAA désire exercer son droit. Il en avise son courtier ; celui-ci en avise la compagnie de compensation. Cette dernière désigne une maison de courtage qui doit satisfaire à l'obligation d'un ou plusieurs de ses clients. Le choix du courtier peut être fait sur la base de premier inscrit/premier désigné ou scientifiquement au hasard. Le courtier designé est alors informé. Celui-ci, à son tour, en informe le client. L'investisseur qui s'engage dans une vente initiale doit être couvert par d'autres positions, comme on verra ensuite, ou il est obligé de fournir une marge, qui habituellement correspond à 30 % de la valeur au marché du titre correspondant à l'option (mais jamais moins de 250 $) plus la tranche en dedans (la différence entre le prix du titre et celui de levée) ou moins la tranche en dehors.

La prime encaissée lors de la vente initiale sert à réduire la marge initiale. Par exemple, le vendeur initial d'une option d'achat mai/30 dont la prime est de 7,00 $ si le titre est à 36 $, se retrouve à devoir déposer une marge égale à 9 808 $, parce que 30 % de la valeur du titre, multiplié par 100 actions, donne 1 080 $; la tranche en dedans multipliée par 100 est de 600 $ (36 $ - 30 $ et ensuite multiplié par 100); la prime encaissée, à soustraire, est de 700 $ (7,00 $ × 100 actions).

Dans le cas d'une vente initiale d'une option d'achat en dehors (mai/30, prime à 2,00 $ et titre à 27,00 $), on procède de la façon suivante : 30 % de la valeur actuelle du titre égale à 810 $; la différence entre le prix de levée et celui du titre est de 300 $ (30 $ - 27 $ multiplié par 100); la prime encaissée est de 200 $. La marge à fournir est de 310 $ (810 $ - 300 $ - 200 $).

Le montant de la marge varie avec les fluctuations du prix du titre et celles de la prime de l'option. Le calcul montré se veut purement indicatif parce que les normes de base peuvent être modifiées par la *Commission des valeurs mobilières* et, en plus, chaque maison de courtage peut appliquer des barèmes plus élevés.

L'investisseur qui a exercé une option d'achat se retrouve propriétaire de 100 actions du titre correspondant; celui qui a exercé une option de vente se retrouve à encaisser la valeur de 100 actions au prix de levée en échange des actions qu'il a cédé. Dans les deux cas, il y a des frais de commission.

Comment prévoir s'il y a le risque « d'être exercé »

Le vendeur initial d'une option d'achat ou de vente peut devoir se retrouver dans l'obligation de fournir ou d'acheter le titre sous-jacent, si un acheteur initial l'exige. Pour l'éviter, il faut tout simplement acheter l'option et ainsi mettre fin à l'obligation. Il est évident que le vendeur ne peut mettre fin à son obligation par un rachat qu'avant de recevoir l'avis d'exercer. Après cet avis, il ne peut plus y faire face autrement qu'en fournissant les actions (dans le cas d'une option d'achat) ou en les achetant (dans le cas d'une option de vente).

Un vendeur initial se trouvera dans la situation d'être exercé quand :

a. l'option est en dedans à l'échéance ;

b. la valeur intrinsèque est inférieure à la différence entre le prix du titre et le prix de levée (dans le cas d'une option d'achat) ou inférieure à la différence entre le prix de levée et celui du titre (dans le cas d'une option de vente);

c. le titre sous-jacent est sur le point de devenir ex-dividende et le dividende en soi est relativement élevé par rapport à la moyenne des dividendes.

L'option est en dedans à l'échéance. Si l'option est en dedans, le vendeur initial et l'acheteur initial sont automatiquement « exercés » : dans le cas d'une option d'achat, le vendeur initial devra fournir les actions et l'acheteur initial les acheter la semaine suivant le 3ième vendredi du mois d'échéance, si les deux ne se sont pas débarrassés de leur position avant cette date. Pour se débarrasser de sa position, l'acheteur initial devra vendre avant l'échéance son option et le vendeur initial devra l'acheter.

La valeur intrinsèque est à escompte. Si le titre AAA est à 20 $ et l'option d'achat mai/15 a une prime de 4-7/8 $, on dira que cette dernière est à escompte parce que la prime (4-7/8 $) est inférieure à la différence entre le prix du titre et celui de levée (20 $ - 15 $). Le détenteur de la position de vente initiale sera très probablement « exercé » parce qu'un arbitrageur, sur le parquet d'une bourse, trouvera avantageux de suivre cette stratégie :

a. vente initiale de 100 actions de AAA à 20 $;

b. achat d'une option d'achat de AAA mai/15 au coût de 4-7/8 $;

c. exercice de l'option d'achat mai/15.

En exerçant son option, l'arbitrageur se retrouve à débourser 15 $ par action. À ce montant, il faut ajouter le coût de l'option d'achat : un déboursé total de 19-7/8 $. Puisque la vente initiale a permis d'encaisser 20 $, ce montant moins le déboursé total donne à l'arbitrageur un profit de 1/8 (12-1/2 cents). La vente initiale est annulée par l'achat des actions fait en exerçant l'option.

L'arbitrageur trouve son profit parce qu'il ne paye pratiquement aucune commission dans toutes les transactions qu'il fait.

Exercice en cas de dividendes élevés. Si la valeur des dividendes est importante, le vendeur initial d'une option d'achat pourrait se trouver « exercé » juste avant le jour ex-dividende parce qu'un investisseur qui possédait l'option d'achat ou un arbitrageur trouve avantageux exercer l'option, entrer en possession des actions et encaisser ainsi les dividendes.

Tous les dividendes n'offrent pas cette occasion : il faut le concours de la prime de l'option. Voici un exemple : le titre AAA est à 20 $ et le jour ex-dividende est demain; la prime de l'option d'achat mai/15 est à 5-1/4 $. Le dividende offert est de 0,50 $.

Un arbitrageur suivrait cette stratégie :

a. acheter aujourd'hui l'option d'achat mai/15 à 5-1/4 $;

b. exercer son option immédiatement après pour devenir propriétaire des 100 actions et être ainsi éligible aux dividendes de 0,50 $ par action;

c. vendre, le lendemain, premier jour ex-dividende, les actions à un prix du marché vraisemblablement égal à celui du jour précédant moins le dividende, c'est-à-dire 19-1/2 $.

Le bilan de l'opération sera le suivant :

a. déboursé total 20-1/4 $ (5-1/4 $ + 15 $);

b. encaissement total 20 $ (0,50 $ + 19-1/2 $).

L'ensemble de la stratégie se traduit dans une perte de 0,25 $ par action. Pour être profitable, la prime aurait dû être au maximum 4-7/8 $ ou les dividendes devaient atteindre au moins 0,80 $.

La contrepartie

Un investisseur qui s'engage dans le monde des options pour la première fois se pose souvent la question : qui lui vend l'option qu'il achète ou qui achètera l'option qu'il veut vendre? La contrepartie est très souvent faite par le mainteneur de marché ou spécialiste dont la profession consiste à maintenir le marché liquide, c'est-à-dire à assurer une offre d'achat et de vente au public, à partir du parquet d'une bourse.

Un spécialiste est un professionnel qui s'engage à maintenir un marché pour les titres et les options dont il est responsable. Donc, si le titre AAA affiche une offre d'achat de 19-7/8 $ et une offre de vente de 20 $, ceci signifie que le mainteneur de marché est disposé à vendre AAA à 20 $ et à l'acheter à 19-7/8 $. Ainsi, l'investisseur qui veut acheter AAA paiera 20 $ et celui qui veut vendre AAA encaissera 19-7/8 $.

Une question peut surgir : dans un marché haussier, les investisseurs achètent, donc le spécialiste se retrouve à vendre, c'est-à-dire à faire le contraire du public. S'il possède déjà le titre, qu'il avait acheté probablement à un prix inférieur auparavant, il réalise un profit. S'il ne possède pas le titre, il devient vendeur initial : une position en soi très dangereuse dans un marché haussier. Pour se protéger, il neutralisera les risques avec des stratégies d'options.

Pour en savoir plus sur le rôle du spécialiste sur le parquet demandez à la *Bourse de Montréal.* Elle se fera un plaisir de répondre à vos questions et de vous envoyer la documentation relative à cette profession.

Quelques autres aspects du fonctionnement des options

La prime à payer doit être déposée par l'acheteur au plus tard le lendemain matin. Il n'est donc pas étonnant que les maisons de courtage puissent exiger qu'un dépôt suffisant soit fait avant, surtout si l'investisseur ne possède pas d'autres valeurs déposées chez la maison de courtage avec laquelle il fait affaires, lui permettant d'avoir une marge de crédit.

La date d'expiration de l'option sur actions est le samedi qui suit le 3ième vendredi du mois d'échéance. Pour liquider sa position, un investisseur n'a toutefois que jusqu'à la fin de la séance boursière du vendredi et c'est imprudent de donner un ordre à la toute dernière minute : l'investisseur pourrait avoir la surprise de ne pas le voir exécuté à cause d'une augmentation soudaine du volume des transactions et du manque matériel de temps d'exécution.

La rotation est le moment durant lequel les offres d'achat et de vente des spécialistes sont donnés pour une série à la fois afin d'avoir une exécution ordonnée des ordres. Cette situation existe toujours en ouverture de séance boursière et quand l'afflux des ordres sur le parquet est plus rapide que la possibilité matérielle de leur exécution.

Le fractionnement d'actions en actions entières diminue le prix de levée du nombre de fois correspondant à l'augmentation du nombre d'actions. Par exemple, si la compagnie AAA, cotée à 30,00 $ fractionne ses actions en raison de 3 nouvelles actions à 10 $ pour une vieille action à 30,00 $, chaque prix de levée est divisé par trois. Ainsi, le détenteur d'une option d'achat mai/30 de AAA cotée à 30,00 $ se retrouve, après le fractionnement de 3 pour 1, propriétaire de 3 options d'achat mai/10 avec le titre à 10,00 $.

Si le fractionnement est de 3 nouvelles actions pour 2 précédentes, quand le titre était à 30 $, on aura le nouveau prix de l'action à 20 $ (2 × 30/3 $), et deux nouvelles options, dont le prix de levée de 20 $ portera sur 150 actions.

Le changement du prix de l'action porte à des nouvelles options, basées sur des nouveaux prix de levée. Normalement, quand le prix du titre se trouve à l'extrémité supérieure ou inférieure de la série de prix de levée existant, la bourse fait apparaître un nouveau prix de levée, plus haut que le haut précédent ou plus bas que le bas précédent.

Il y a des limites aux nombres de positions à la hausse, à la baisse, sous la forme d'achat ou de vente initiale qu'un investisseur peut détenir. La bourse détermine ces limites, qui normalement sont dans l'ordre de milliers d'options. Un investisseur n'est pas normalement concerné par ces limites parce que le nombre de contrats dans lesquels il transige est pratiquement toujours inférieur aux milliers.

La prime se réfère toujours à une action du titre correspondant. Ainsi une prime de 1-1/4 $ de l'option mai/20 du titre AAA signifie un montant égal à 125 $ (1-1/4 $ × 100). Toutefois, si l'option porte sur plus de 100 actions, à la suite, par exemple, d'un fractionnement, la prime par action sera multipliée par le nouveau nombre d'actions.

Des nouveaux prix de levée apparaisent quand le prix du titre sous-jacent fluctue d'une façon importante. Les règles sont différentes selon qu'il s'agisse d'options américaines ou canadiennes. Aux É.-U., une nouvelle série, avec un nouveau prix de levée, est créée quand le prix du titre se trouve au moins à mi-chemin entre le plus haut prix de levée (ou le plus bas) et celui qui serait le prochain en respectant l'intervalle de prix. Au Canada, un nouveau prix de levée est créé quand le prix du titre est d'au moins 20% plus haut (ou plus bas) que le prix de levée précédent. Il faut considérer ces règles seulement à titre d'exemple, parce qu'elles peuvent être modifiées en tout temps par les compagnies de Compensation.

Les limites de position. Il y a des limites dans le nombre d'options qu'un investisseur peut acheter ou vendre initialement. Par exemple, cette limite peut être de 2 000 options d'achat ou de vente d'un même côté du marché pour le même titre.

Les limites de levée. Il y a des règles à respecter dans le nombre d'options qu'un investisseur peut vouloir exercer. Cette limite peut, par exemple, être de 2 000 options en 5 jours de bourse, afin d'éviter la possibilité d'une distorsion des cours du titre sous-jacent.

Les limites de positions et de levées peuvent être modifiés en tout temps par les bourses et les compagnies de Compensation.

Les ordres

Il y plusieurs types d'ordres dont l'investisseur peut se servir, par exemple:

Au marché. L'investisseur achète ou vend au prix du marché.

Avec limite. L'investisseur achète ou vend à un prix fixé par lui. Cet ordre peut aussi indiquer l'intention de l'investisseur de sortir du marché si un certain prix est atteint, afin de limiter la perte sur le capital investi ou sur le profit accumulé valable un jour, plusieurs jours, une semaine, un mois.

Les matrices.

Afin de mieux comprendre les implications des stratégies d'options, on utilisera une description des profits et pertes sous la forme de matrices. Par exemple, si après voir acheté une action de AAA à 20 $, le titre monte à 21 $, on dira que le profit avant commission est 1 $. Si, au contraire, le titre baisse à 19 $, on dira que la perte avant commission est de 1 $. On en déduit que pour chaque 1 $ d'augmentation de la valeur du titre, le profit est de 1 $ et que pour chaque 1 $ de diminution de la valeur du titre, on a une perte de 1 $. En matrices, ceci peut s'ecrire de la façon suivante :

$\begin{bmatrix} +1 \\ -1 \end{bmatrix}$
= 1 $ de profit pour chaque 1 $ d'augmentation du titre
= 1 $ de perte pour chaque 1 $ de diminution du titre.

Dans les différents cas d'application on ne considérera pas le coût des commissions ni la valeur des primes des options.

Les graphiques

Pour visualiser les différentes stratégies d'options, on utilisera des graphiques dont la forme de base est la suivante :

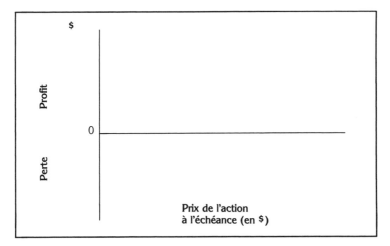

Sur l'axe horizontal on place une série de prix auxquels pourrait se trouver le titre AAA à l'échéance de l'option. L'axe vertical est divisé en deux parties : celle qui est inférieure à la ligne horizontale indique les pertes en $ encourues par l'investisseur : la partie supérieure indique les profits ; à la hauteur de la ligne horizontale il y a ni profits, ni pertes : le tout à l'échéance de l'option.

Chapitre 3

25 stratégies d'investissement pour négocier les options en bourse

---

Stratégie No 1

Achat initial de 100 actions de AAA à 10 $.

Opinion sur le marché : à la hausse.

Quelques mois plus tard, la valeur du titre aurait pu augmenter, rester la même ou diminuer. On fait l'hypothèse que AAA peut se trouver dans 3 mois entre 5 $ et 15 $. Voici le portrait des profits et pertes à cette échéance, selon le prix auquel on pourrait trouver AAA (les commissions sont exclues, même si leur importance n'est pas négligeable) :

Prix de AAA dans 3 mois $	Variations par action $	Profit/perte totale $
5	-5	-500
6	-4	-400
7	-3	-300
8	-2	-200
9	-1	-100
10	0	0
11	+1	+100
12	+2	+200
13	+3	+300
14	+4	+400
15	+5	+500

Le graphique est le suivant :

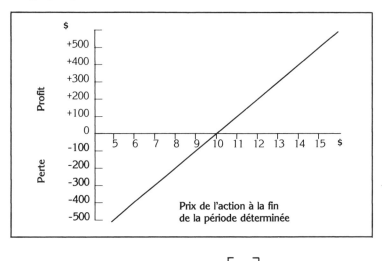

La matrice des profits et pertes est : $\begin{bmatrix} +1 \\ -1 \end{bmatrix}$

Il y a un profit de 1 $ pour chaque augmentation de 1 $ dans la valeur du titre. Il y a la perte de 1 $ dans chaque 1 $ de baisse du titre.

Avantages de cette stratégie : L'investisseur est actionnaire de la compagnie AAA ; il peut recevoir des dividendes ; il peut conserver ses actions indéfiniment ; il peut s'abstenir de vendre si la valeur de AAA baisse et attendre sa remontée au-dessus du prix d'achat pour encaisser la plus-value.

Désavantages : il n'y a pas d'effet de levier ; les actions doivent être payées à 100 %.

Profit potentiel maximum : sans limite parce que le prix peut théoriquement « monter au ciel » (expression boursière).

Risque potentiel maximum : la perte du capital investi parce que la valeur de AAA pourrait descendre à zéro.

Suivi : si le rendement en dividendes est élevé par rapport à la moyenne, une diminution modeste du prix par rapport au prix d'achat ne devrait pas alarmer quand le marché en général est aussi à la baisse. Si la baisse du marché est supérieure à celle du titre, l'investisseur peut ne rien faire. Si c'est le contraire, il devrait songer à le vendre.

Si le titre monte proportionnellement moins haut que le marché en général, il devrait être remplacé par un autre mieux performant. S'il monte plus vite il n'y aurait rien à faire, au moins jusqu'à la fin présumée de la hausse.

Stratégie No 2

Achat initial de 200 actions de AAA, dont 100 avec le capital de l'investisseur et 100 avec un prêt de la maison de courtage («achat sur marge») au prix de 10 $ l'action.

Opinion sur le marché: à la hausse.

Trois mois plus tard, AAA pourrait se trouver, par exemple, entre 5 $ et 15 $. Voici le portrait de la situation à cette échéance:

Prix de AAA dans 3 mois $	Variations par action $	Profit/perte totale (*) $
5	-5	-1000
6	-4	-800
7	-3	-600
8	-2	-400
9	-1	-200
10	0	0
11	+1	+200
12	+2	+400
13	+3	+600
14	+4	+800
15	+5	+1000

(*) Le coût de l'emprunt n'est pas tenu en compte.

Le graphique a la forme suivante :

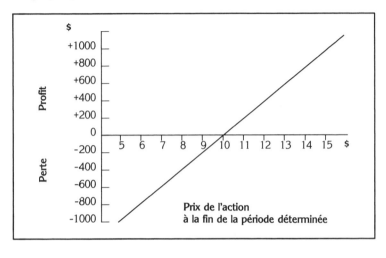

La matrice des profits et pertes est la suivante : $\begin{bmatrix} +2 \\ -2 \end{bmatrix}$

On compte 2 $ de profit ou de perte pour chaque $ personnel investi (on exclut le coût de l'emprunt). Si le titre monte de 1 $ il y a 2 $ de profit. Si le titre baisse de 1 $ la perte est de 2 $.

Avantages : profit plus rapide, doubles dividendes.

Désavantages : Il y a un intérêt à payer pour le capital emprunté. Pour avoir un prêt égal au capital investi il faut disposer d'une garantie autre que celle des actions de AAA achetées. Ces dernières n'offrent la possibilité que d'un emprunt de 50 % de la valeur de AAA achetée. Si le titre baisse il faut fournir du capital additionnel.

Profit potentiel maximum : illimité.

Risque potentiel maximum : perdre le capital personnel investi plus celui emprunté et les intérêts y afférant.

Suivi. C'est le même que celui de la stratégie no 1. Il faut naturellement doubler l'attention avec laquelle on suit un tel investissement.

Stratégie No 3

Vente initiale de 100 actions de AAA à $10.

Opinion sur le marché: à la baisse.

Cette stratégie requiert l'utilisation d'une marge parce qu'il s'agit d'une vente initiale.

Voici la situation dans 3 mois:

Prix de AAA dans 3 mois $	Variations par action $	Profit/perte totale $
5	+5	+500
6	+4	+400
7	+3	+300
8	+2	+200
9	+1	+100
10	0	0
11	-1	-100
12	-2	-200
13	-3	-300
14	-4	-400
15	-5	-500

Le graphique des profits et pertes est le suivant:

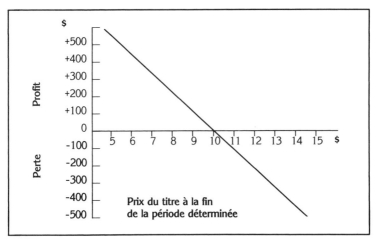

La matrice des profits/pertes est la suivante : $\begin{bmatrix} -1 \\ +1 \end{bmatrix}$

On compte 1 $ de perte pour chaque 1 $ d'augmentation du titre et un gain de 1 $ pour chaque 1 $ de baisse du titre. On ne tient pas compte des commissions ni de la marge nécessaire à cette position.

Avantages : on profite d'une baisse du marché.

Désavantages : l'investisseur doit payer les dividendes ; il doit ajouter du capital pour couvrir la marge si le titre monte.

Profit potentiel maximum. Le profit ne peut pas être supérieur au montant crédité dans le compte au moment de la vente initiale. Le maximum de profit est atteint quand la valeur du titre tombe à zéro.

Risque potentiel maximum : illimité, parce que l'augmentation possible du titre est sans limites.

Suivi : il n'y a pas d'autres possibilités que de racheter le titre et mettre fin à sa position si on veut limiter les pertes ou encaisser les profits.

Stratégie No 4

Vente initiale de 200 actions de AAA à 10 $: un lot de 100 est couvert par une marge personnelle ; l'autre lot de 100 actions est couvert par une marge fournie par la maison de courtage.

Opinion sur le marché : à la baisse.

Trois mois plus tard la situation pourrait être une des suivantes :

Prix de AAA dans 3 mois $	Variations par action $	Profit/perte totale $
5	+5	+1000
6	+4	+800
7	+3	+600
8	+2	+400
9	+1	+200
10	0	0
11	-1	-200
12	-2	-400
13	-3	-600
14	-4	-800
15	-5	-1000

Le graphique des profits/pertes est le suivant:

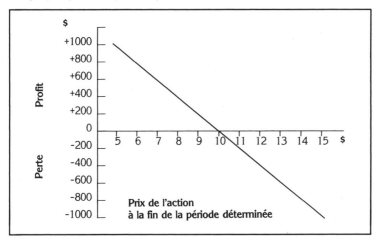

La matrice des profits/pertes est: $\begin{bmatrix} -2 \\ +2 \end{bmatrix}$

Chaque 1 $ de variation du titre a comme effet de donner 2 $ de profit ou de perte sur l'engagement personnel de l'investisseur. Chaque 1 $ d'augmentation dans la valeur de AAA se traduit dans la perte de 2 $ et la diminution de 1 $ dans AAA donne un profit de 2 $. On ne tient pas compte du coût de la marge fournie par la maison de courtage.

45

Avantages : double profit par rapport à la stratégie précédente.

Désavantages : capital personnel à ajouter pour faire face à des besoins de marge, si le titre monte ; doubles dividendes à payer, si la compagnie AAA en déclare.

Profit potentiel maximum : si le titre tombe à zéro.

Risque potentiel maximum : illimité.

Stratégie No 5

Achat initial de l'option d'achat mai/10 à 1 $. Le titre est à 10 $: il s'agit donc d'une option « au milieu ».

Opinion sur le marché : à la hausse.

En mai, à l'échéance de l'option, la situation pourrait être une des suivantes :

Prix de AAA à l'échéance $	Variation sur l'option $	Profit/perte totale $
5	-1	-100
6	-1	-100
7	-1	-100
8	-1	-100
9	-1	-100
10	-1	-100
11	0	0
12	+1	+100
13	+2	+200
14	+3	+300
15	+4	+400

Le graphique des profits/pertes est le suivant :

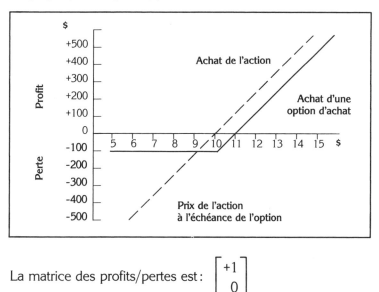

La matrice des profits/pertes est : $\begin{bmatrix} +1 \\ 0 \end{bmatrix}$

Cette matrice indique que l'investisseur fait un profit de 1 $ pour chaque augmentation de 1 $ de la valeur du titre. Par contre, peut importe l'ampleur de la baisse du titre, l'investisseur ne pourra perdre que la prime payée.

Avantages : montant investi inférieur à celui de l'achat des actions, mais profit possible jusqu'à l'échéance de l'option, égal à celui obtenu avec l'achat de 100 actions de AAA : donc, effet de levier.

Désavantages : l'investisseur n'a pas droit aux dividendes distribués éventuellement par la compagnie AAA ; à la différence de l'investisseur qui possède les actions, le propriétaire de l'option n'a pas tout le temps qu'il veut devant lui : si le titre a perdu de la valeur, l'investisseur peut à l'échéance avoir perdu toute la prime payée.

Profit potentiel maximum : sans limites.

Risque potentiel maximum : limité à la prime. L'investisseur ne peut perdre plus que la prime payée.

Suivi si le prix du titre monte. L'investisseur qui voit son profit s'accroître parce que le titre monte de valeur peut se demander quoi faire pour protéger le bénéfice accumulé.

Les stratégies possibles sont les suivantes :

1. liquider la position en vendant l'option d'achat.

2. Ne rien faire pour laisser l'option continuer de prendre éventuellement de la valeur.

3. Vendre l'option en question et avec une partie du profit réalisé, acheter l'option dont le prix de levée est plus élevé.

4. Procéder à la vente initiale d'une option de AAA, avec la même échéance et dont le prix de levée est plus élevé que celui de l'option achetée. Cette stratégie porte le nom de opération mixte verticale à la hausse.

Voici plus en détail chacune des 4 stratégies.

1. La vente de l'option mai/10 permet d'empocher le profit accumulé. Un dicton boursier dit : « Mettre dans la poche un profit n'a rendu personne plus pauvre. » Par contre, toute avance éventuelle du prix de AAA n'apportera aucun bénéfice à l'investisseur, une fois l'option vendue.

2. Ne rien faire quand le titre AAA continue de monter est une excellente stratégie. Par contre, l'investisseur ne sait pas si le titre continuera de gagner de la valeur ou si une phase descendante est en train de se développer. À ne rien faire, il risque de voir l'option perdre de la valeur au fur et à mesure qu'on s'approche de l'échéance.

3. Le vente de l'option et l'empochement de la plus-value pour financer l'achat d'une option avec un prix de levée plus élevé s'appelle **roulement à la hausse**. Cette stratégie permet l'achat d'une ou plusieurs autres options avec l'argent gagné. Cette nouvelle option sera « au milieu » par rapport au nouveau prix de AAA. Par exemple, si AAA est monté de $10\,^\$$ à \$12-1/2, la prime de mai/10 est de $4\,^\$$ et celle de mai/12-1/2 est à $1\text{-}1/4\,^\$$, la vente de mai/10 permet d'encaisser une plus-value de $300\,^\$$ par action. L'achat de

mai/12-1/4 coûtera 125 $. Il pourra en acheter 2 pour la somme de 250 $ (plus les commissions) en utilisant seulement le gain sur la vente de l'option initialement achetée.

4. L'opération mixte verticale à la hausse implique la conservation de la position actuelle et l'introduction de la vente initiale d'une option d'achat. Si on prend le cas de AAA monté à 12-0 $ et la prime de mai/12-4 à 1-1/8 $, la vente initiale de cette dernière option permet d'encaisser 125 $. Cette stratégie ne comporte aucun risque à la hausse parce que la différence entre la prime payée pour mai/10 et celle reçue est à crédit de 1/8 de 1 $. Il n'y a pas non plus de risques à la baisse, parce que même si le prix du titre tombe en dessous de 10 $ et la valeur des deux options se réduit à zéro à l'échéance, l'investisseur reste avec son crédit et perd seulement les commissions. Si le titre, à l'échéance, se trouve entre 10 $ et 12-4 $, l'option mai/12-4 expire sans valeur et le crédit de 125 $ appartient définitivement à l'investisseur. L'option achetée (mai/10) aura la valeur intrinsèque donnée par la différence entre le prix du AAA et celui de levée. Il paraît évident à ce point que le maximum de profit de cette stratégie est atteint quand le titre est à l'échéance à $ 12-4, parce que la valeur intrinsèque de mai/10 est de 2.50 $ alors que mai/12-4 expire sans valeur. Si AAA va au delà de 12-4 $ le gain fait par mai/10 est balancé par la perte simultanée de mai/12-4.

Suivi si le prix du titre baisse. Il y a plusieurs possibilités :

1. Liquider la position en vendant l'option d'achat.

2. Ne rien faire, dans l'espoir que le titre remonte avant l'échéance.

3. Acheter une autre option à un prix plus bas pour baisser le prix moyen de l'achat initial.

4. Vendre 2 options à la place d'une et acheter une option d'achat à un prix de levée plus bas.

Voici plus en détail chacune des 4 stratégies :

1. La vente de l'option achetée permet d'arrêter les pertes si le

49

titre continue de baisser. Mais si le titre remonte après la vente, on perd la récupération, partielle peut-être, de la perte.

2. Ne rien faire c'est vivre dans l'espoir que le prix du titre, avant l'échéance, remonte, permettant ainsi de récupérer en partie ou entièrement le capital investi ou encore de faire un profit. En échange de cette possibilité de remontée, l'investisseur prend le risque de tout perdre de la prime parce que le titre peur continuer de tomber.

3. Si on croit que le prix du titre, après une chute importante, jouit d'une probabilité de remontée, l'achat d'une autre option, égale à la première, mais dont la prime a baissé de valeur, permet de réduire le prix de l'achat initial. Par exemple : le prix du titre est tombé de 10 $ à 8 $. La prime de l'option mai/10 est passée de 1,00 $ à 0,65 $. Si l'investisseur pense que la valeur du titre remontera avant l'échéance de l'option il achète une deuxième option mai/10 à 0,65 $. De cette façon le nouveau prix d'achat des deux options ne sera que le prix moyen des deux prix d'achat, c'est-à-dire 0,8250 $ (1,00 $ + 0,65 $ divisé par 2). C'est évidemment plus facile de rejoindre le prix d'achat moyen de 0,8250 $ que le prix initial de 1,00 $, si le prix de AAA remonte. La remontée du prix est une condition essentielle pour tirer un avantage de cette stratégie : il faut que le prix avance au moins à 10-7 $ à l'échéance pour atteindre le seuil de rentabilité (sans tenir compte des commissions). Pour remonter de 8 $ à 10-7 $ il faut que le titre avance de 36 % avant l'échéance de l'option : une probabilité plutôt mince si le titre n'a pas une grande volatilité.

4. L'investisseur qui avait acheté l'option d'achat mai/10 à 1,00 $ pour se retrouver avec le titre AAA à 8 $, l'option d'achat mai/7-4 à 1,00 $ et celle de mai/10 à 0,50 $ peut mettre en pratique la stratégie suivante : vendre deux options d'achat mai/10 à 0,50 $ et acheter une option d'achat mai/7-4 à 1,00 $. Il n'y a pas d'autres coûts que les commissions, parce que la vente des deux options génère autant de crédit que le déboursé pour l'achat de l'option

mai/7-4. En effet cette stratégie est à appliquer quand son coût est vraiment réduit. L'investisseur se retrouve vendeur initial de l'option dans laquelle il était auparavant acheteur et acheteur initial d'une option de AAA avec la même échéance et un prix de levée plus bas, plus une perte de 0,50 $ sur l'achat initial de mai/10, fait à 1,00 $ et liquidé à 0,50 $. Le but de cette stratégie est de baisser le seuil de rentabilité. En effet, si à l'échéance le titre se transige entre 7-4 $ et 10 $ (par exemple à 8,00 $) l'option mai/10 vendue expire sans valeur et l'option achetée mai/7-4 vaudra sa valeur intrinsèque, c'est-à-dire 0,50 $. L'encaissement total pour cette stratégie est de 1,50 $: ceci dépasse la perte initiale de 0,50 $.

Si le titre perd encore de sa valeur et se retrouve à ou en-dessous de 7,50 $ à l'échéance l'investisseur essuiera une perte maximum de 0,50 $ (la différence entre l'encaissement initial de 0,50 $ sur mai/10 et l'achat initial de mai/7-4. Si, au contraire des prévisions, le titre reprend son chemin à la hausse en dépassant le prix de 10,00 $, cette stratégie offrira un profit inférieur à celui de l'achat initial de l'option d'achat mai/10.

Stratégie No 6

Achat initial de l'option de vente mai/10 à 1 $ quand le titre est à 10,00 $. Il s'agit donc d'une option au milieu.

Opinion sur le marché : à la baisse.

En mai, à l'échéance de l'option, la situation pourrrait être une des suivantes :

Prix de AAA dans 3 mois $	Variations par action $	Profit/perte totale $
5	+4	+400
6	+3	+300
7	+2	+200
8	+1	+100
9	0	0
10	-1	-100
11	-1	-100
12	-1	-100
13	-1	-100
14	-1	-100
15	-1	-100

Le graphique des profits/pertes est le suivant :

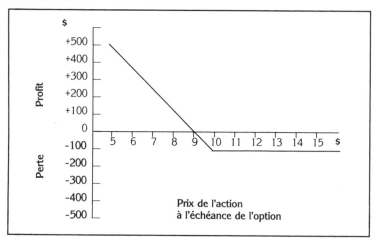

La matrice des profits/pertes est : $\begin{bmatrix} 0 \\ +1 \end{bmatrix}$

Cette matrice indique que l'investisseur fait un profit de 1 $ pour chaque diminution de 1 $ de la valeur du titre. Si le titre monte, peu importe son prix, la perte pour l'investisseur se limite à la prime.

Avantages : par rapport à la vente à découvert d'actions, cette stratégie permet d'obtenir les mêmes avantages, sans les mêmes défauts, notamment les dividendes à payer et la marge à déposer.

Désavantages: le profit commence après une baisse équivalente à la prime payée alors que dans la vente à découvert d'actions le profit commence au début de la baisse (dans ces deux cas on ne considère pas le seuil de rentabilité à calculer pour les commissions).

Profit potentiel maximum: quand le prix du titre tombe à zéro.

Risque potentiel maximum: limité à la prime payée.

Suivi. L'investisseur applique les mêmes critères décrits dans l'achat d'une option d'achat, en renversant les positions pour les adapter à la baisse.

Stratégie No 7

Vente initiale découverte d'une option d'achat mai/10, quand le titre AAA est à 10,00 $. Il s'agit d'une option au milieu.

Opinion sur le marché: neutre, légèrement à la baisse ou légèrement à la hausse.

À l'échéance de l'option la situation pourrait être une des suivantes:

Prix de AAA dans 3 mois $	Variations par action $	Profit/perte totale $
5	+1	+100
6	+1	+100
7	+1	+100
8	+1	+100
9	+1	+100
10	+1	+100
11	0	0
12	-1	-100
13	-2	-200
14	-3	-300
15	-4	-400

Le graphique des profits/pertes est le suivant:

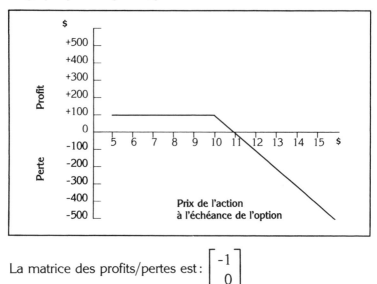

La matrice des profits/pertes est: $\begin{bmatrix} -1 \\ 0 \end{bmatrix}$

Cette matrice indique que pour chaque 1 $ d'augmentation dans la valeur de AAA, l'investisseur perd 1,00 $, tandis que pour chaque 1 $ de diminution il n'y a pas d'augmentation dans le gain.

Avantages: réaliser un profit dans un marché neutre, alors que l'achat d'actions et d'options ou la vente à découvert d'actions ne le permettrait pas.

Désavantages: il faut déposer une marge qui pourrait se situer autour de 30% de la valeur de AAA. Dans le cas des options sur les indices, comme par exemple le *XXM de Montréal*, la marge requise est plus basse. Votre maison de courtage peut vous renseigner exactement.

Profit potentiel maximum: la prime créditée au moment de la vente initiale.

Risque potentiel maximum: théoriquement illimité, parce qu'il n'y a pas de limite à la hausse possible du titre. Possibilité d'être exercé, c'est-à-dire de devoir livrer 100 actions de AAA au prix de 10,00 $, alors que le prix auquel l'investisseur doit se les procurer pour ensuite les livrer est plus haut.

Seuil de rentabilité : 11 $, quand la valeur de AAA est égale au prix de levée plus la prime créditée.

Suivi. Si on atteint le seuil de rentabilité et les moyens financiers qu'on veut engager sont modestes, il faut racheter sa position.

Le meilleur moyen d'avoir un seuil de rentabilité à un prix du titre plus élevé consiste à faire la vente initiale d'une option en dehors, par exemple mai/12-4 à 0,50 $: la prime créditée est plus basse mais la probabilité d'atteindre 13 $ est évidemment moins grande que celle d'atteindre 11 $.

Si on s'attend à une baisse subite du titre suivie d'une remontée, mieux vaut vendre à découvert une option d'achat en dedans, comme par exemple mai/7-4 : cette stratégie est meilleure que celle de vendre à découvert les actions mêmes, parce que le capital engagé comme marge est considérablement plus petit, tout en profitant d'une corrélation entre la baisse du titre et celle de la prime de l'option proche de 1 (delta élevé).

Si l'investisseur possède une garantie suffisante en titres, il peut l'utiliser comme marge pour faire d'abord la vente initiale d'options d'achats «au milieu» dans le mois le plus éloigné, comme, par exemple, nov/10 à 2,50 $: ce type d'option est le plus riche en valeur temps.

Si le titre AAA monte au prix de levée suivant, 12-4 $, il rachète l'option vendue avec le crédit provenant de la vente initiale d'un nombre suffisant d'options d'achat «au-milieu» nov/12-4. Si le titre continue de monter et arrive au prix de levée suivant, 15 $, il répétera la même stratégie en rachetant les options nov/12-4 avec le crédit obtenu de la vente à découvert d'un nombre suffisant d'options nov/15. Il faut ensuite que le titre arrête de monter ou baisse pour réaliser un profit. Si la montée du titre est lente, chaque roulement à la hausse du prix de levée peut être fait avec des mois d'échéance plus éloignés que novembre, de façon à profiter des options plus riches en valeur temps.

Stratégie No 8

Vente initiale couverte d'une option d'achat de AAA mai/10 à 1,00 $ quand le prix de l'action est à 10,00 $. Cette vente initiale est couverte parce que l'investisseur possède déjà les actions de AAA, en nombre suffisant pour correspondre au nombre d'options d'achat qu'il vend (100 actions de AAA détenues pour chaque option vendue).

Opinion sur le marché : neutre ou légèrement à la hausse ou légèrement à la baisse.

À l'échéance de l'option la situation pourrait être une des suivantes :

Prix de AAA dans 3 mois $	Variation de l'action $	Variation de l'option $	Profit/perte totale $
5	-5	+1	-400
6	-4	+1	-300
7	-3	+1	-200
8	-2	+1	-100
9	-1	+1	0
10	0	+1	+100
11	+1	0	+100
12	+2	-1	+100
13	+3	-2	+100
14	+4	-3	+100
15	+5	-4	+100

Le graphique des profits/pertes est le suivant:

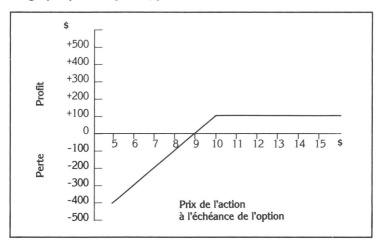

La matrice des profits/pertes est la suivante: $\begin{bmatrix} +1 \\ -1 \end{bmatrix}$ pour l'action et $\begin{bmatrix} -1 \\ 0 \end{bmatrix}$ pour l'option d'achat vendue. La somme des deux matrices se fait en additionnant les deux numérateurs (les deux chiffres supérieures) entre eux et les deux dénominateurs (les deux chiffres du bas) entre eux. Le résultat de la somme est:

$\begin{bmatrix} 0 \\ -1 \end{bmatrix}$, il n'y a pas d'argent à faire à la hausse et on perd 1 $^\$$ pour chaque 1 $^\$$ perdu par AAA, en dessous de 10 $^\$$.

Apparemment il s'agit d'une stratégie inutile et très risquée. En pratique il s'agit d'une des meilleures stratégies pour rentabiliser son portefeuille d'actions ordinaires quand le marché boursier va nul part, c'est-à-dire pendant le 3/4 du temps.

Avantages: si AAA reste à 10,00 $^\$$ à l'échéance de l'option, celle-ci meurt sans valeur et l'investisseur empoche définitivement la prime. Il peut recommencer tout de suite après en faisant la vente initiale de l'option d'achat dont l'échéance est la plus proche. De cette façon, il réduit le prix d'achat initial des actions de AAA avec le profit qui lui vient de la prime des options. En cas de légère baisse, la prime empochée compense la perte sur le titre.

Désavantages : Si le titre AAA monte au delà de 11 $ il y aura perte d'opportunité.

Profit potentiel maximum : la prime créditée.

Risque potentiel maximum : le même que celui que l'investisseur aurait si la seule position détenue était celle des actions AAA moins la prime créditée.

Seuil de rentabilité à la baisse : 9 $. En dessous de ce prix la baisse ultérieure du titre se traduit en perte croissante de capital pour l'investisseur.

Seuil de rentabilité à la hausse : 11 $. Au dessus de ce prix de l'action, l'investisseur fait face à une perte croissante d'opportunité.

Suivi. Si le titre monte au-dessus de 11 $ et si on est convaincu qu'il continuera de monter, la meilleure action à suivre consiste tout simplement à racheter l'option vendue : la perte subie est balancée par l'accroissement de la valeur du titre. Si on laisse le titre monter et l'investisseur est exercé, il vendra les actions de AAA au prix de levée (10 $). La prime empochée de 1 $ lui permettra en définitive de vendre AAA à 11 $.

Si le titre baisse en dessous de 9 $ et l'investisseur croit que la baisse peut se continuer, c'est mieux pour lui de liquider sa position et faire la vente initiale d'une option dont le prix de levée est plus bas (mai/7-4 par exemple) ou encore acheter une option de vente mai/10.

Stratégie No 9

Vente initiale couverte d'une option d'achat mai/40 alors que l'investisseur possède 200 actions de AAA pour chaque option vendue.

Opinion sur le marché: neutre ou à la hausse.

À l'échéance de l'option la situation pourrait être une des suivantes:

Prix de AAA dans 3 mois $	Variation de l'action $	Variation de l'option $	Profit/perte totale $
5	-10	+1	-900
6	-8	+1	-700
7	-6	+1	-500
8	-4	+1	-300
9	-2	+1	-100
10	0	+1	+100
11	+2	0	+200
12	+4	-1	+300
13	+6	-2	+400
14	+8	-3	+500
15	+10	-4	+600

Le graphique pour cette stratégie est:

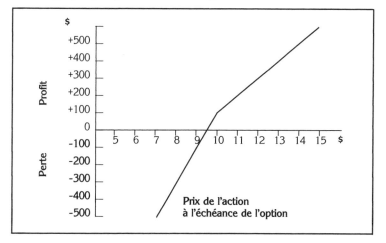

La matrice des profits/pertes est la suivante:

actions   option

$$\begin{bmatrix} +2 \\ -2 \end{bmatrix} + \begin{bmatrix} -1 \\ 0 \end{bmatrix} = \begin{bmatrix} +1 \\ -2 \end{bmatrix}$$

Cette matrice nous dit que l'investisseur fait de l'argent à la hausse et il perd le double à la baisse.

Avantages : par rapport à la vente initiale de l'option d'achat contre 100 actions de AAA détenues : possibilité de profit à la hausse sans seuil de rentabilité.

Désavantages : si le titre baisse en-dessous de 10 $ la perte est égale à celle de la simple possession du titre. En-dessous de 9 $ la perte double d'importance.

Seuil de rentabilité. Il n'y en a pas à la hausse, à la baisse il est à 9,50 $.

Profit potentiel maximum : sans limites, comme c'est le cas du simple achat des actions de AAA.

Risque potentiel maximum : quand le titre tombe à zéro, la perte est égale à celle de 200 actions de AAA moins la prime créditée de l'option vendue.

Suivi. Si le titre monte et l'investisseur est convaincu d'une poussée importante ultérieure, l'investisseur devrait liquider sa position dans les options en les rachetant.

Si le titre baisse en dessous de $ 9.50 l'investisseur peut ne rien faire ou encore liquider ses options d'achat et acheter des options de vente.

Stratégie No 10

Vente initiale de deux options d'achat mai/10 alors que l'investisseur possède seulement 100 actions de AAA : il s'agit d'une stratégie de vente initiale partiellement couverte : une option de vente est à découvert et elle requiert une marge. Le titre est à 10 $.

Opinion sur le marché : neutre.

À l'échéance de l'option la situation pourrait être une des suivantes :

60

Prix de AAA à l'échéance $	Variation de l'action $	Variation de 2 options $	Profit/perte totale $
5	-5	+2	-300
6	-4	+2	-200
7	-3	+2	-100
8	-2	+2	0
9	-1	+2	+100
10	0	+2	+200
11	+1	0	+100
12	+2	-2	0
13	+3	-4	-100
14	+4	-6	-200
15	+5	-8	-300

Le graphique des profits/pertes est le suivant :

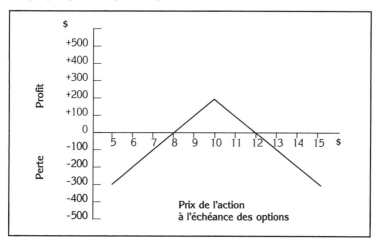

La matrice des profits/pertes est :

$\begin{bmatrix} +1 \\ -1 \end{bmatrix}$ dans le cas des actions ; $\begin{bmatrix} -2 \\ 0 \end{bmatrix}$ dans le cas des deux options. La somme donne : $\begin{bmatrix} -1 \\ -1 \end{bmatrix}$

Le résultat nous indique qu'il n'y a pas de profit à faire à la hausse comme à la baisse. Le profit est dans l'immobilisme du marché.

Avantages : si le marché ne bouge pas l'investisseur a un crédit égal aux deux primes à l'échéance des options,alors que la simple possession des actions n'aurait rien donné. La baisse du titre jusqu'à 8 $ ne comporte pas de perte dans l'ensemble parce que la perte dans le titre est compensée par les primes créditées.

Désavantages : Une montée du titre entre 11 $ et 12 $ se traduit en une perte d'opportunité par rapport à la simple possession des actions, sans les options. Au-dessus de 12 $ la perte réelle s'accumule alors que la simple possession des actions générerait des profits proportionnels à la hausse.

Seuil de rentabilité : à la baisse 8 $ et à la hausse 12 $: c'est-à-dire le seuil de rentabilité de cette stratégie se situe à la hausse à un prix égal au prix de levée plus les deux primes ; à la baisse à un prix donné par le prix de levée moins la somme des deux primes.

Profit potentiel maximum : la somme des deux primes, si à l'échéance le prix du titre est égal au prix de levée.

Risque potentiel maximum : à la hausse, illimité ; à la baisse il est égal à la perte totale de valeur du titre moins les deux primes créditées.

Stratégie No 11

Variante de la précédente : vente initiale de deux options d'achat avec la même échéance mais des prix de levée différents, avec le prix du titre au milieu entre les deux. Par exemple, si AAA est à 10 $, une option d'achat est mai/12-4 à 0,50 $ et l'autre est mai/7-4 à 3,00 $.

Opinion sur le marché : neutre.

À l'échéance des options la situation pourrait être une des suivantes :

Prix de AAA à l'échéance $	Variation de l'action $	Variation mai/7-4 $	Variation mai/12-4 $	Profit/perte totale $
4	-6	+3,00	+0,50	-250
5	-5	+3,00	+0,50	-150
6	-4	+3,00	+0,50	-50
7-4	-2,50	+3,00	+0,50	+100
8	-2	+2,50	+0,50	+100
9	-1	+1,50	+0,50	+100
10	0	+0,50	+0,50	+100
11	+1	-0,50	+0,50	+100
12-4	+2,50	-2,00	+0,50	+100
13	+3	-2,50	0	+50
14	+4	-3,50	-1,00	-50
15	+5	-4,50	-2,00	-150
16	+6	-5,50	-3,00	-250

Le graphique des profits/pertes est le suivant:

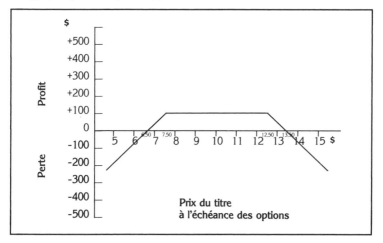

La matrice est evidemment égale à celle de la stratégie no 10: mais on fait de l'argent si le marché reste à l'intérieur d'une certaine fourchette de prix plus vaste que la précédente.

Avantages: par rapport à la stratégie no 11 on est assuré d'empocher 100 $ si le titre se maintient à l'échéance entre 7,50 $ et 12,50 $ (une course de 25 % à la baisse ou à la hausse). Cette probabilité est plus réaliste que la précédente, dans laquelle pour se voir créditer la somme des deux primes (200 $) il faut que le prix du titre ne bouge pas.

Désavantages: par rapport à la stratégie no 10, si le titre ne bouge pas l'investisseur empoche seulement la moitié (c'est le cas de cet exemple) de ce qu'il aurait eu avec l'autre stratégie.

Profit potentiel maximum: 100 $ entre les deux prix de levée.

Risque potentiel maximum: illimité du côté de la hausse; limité à la perte de valeur totale du titre moins les deux primes créditées à la baisse.

Suivi: si le prix du titre arrive à la limite des deux prix de levée il est prudent de liquider les deux options.

Stratégie No 12

Vente initiale découverte d'une option de vente mai/10, à 1 $ quand le titre est à $10.

Opinion sur le marché: neutre ou légèrement à la hausse.

À l'échéance de l'option la situation pourrait être une des suivantes:

Prix de AAA à l'échéance $	Profit/perte de l'option $	Profit/perte totale $
5	-4	-400
6	-3	-300
7	-2	-200
8	-1	-100
9	0	0
10	+1	+100
11	+1	+100
12	+1	+100
13	+1	+100
14	+1	+100
15	+1	+100

Le graphique des profits/pertes est le suivant:

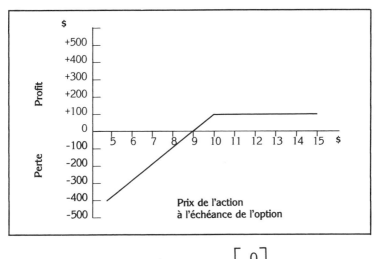

La matrice des profits/pertes est: $\begin{bmatrix} 0 \\ -1 \end{bmatrix}$

Ce qui signifie qu'il n'y a pas de profit à la hausse et il y a une perte croissante à la baisse.

Avantages: Dans un marché neutre ou légèrement haussier l'investisseur encaisse définitivement la prime de l'option à l'échéance de celle-ci. Si le titre baisse et qu'il est exercé, il peut acheter les actions à un prix égal au prix de levée moins la prime créditée.

S'il se sert d'une option «en dehors», par exemple mai/7-4, il achète les actions à $ 7,50 moins la prime créditée (qui sera moindre que celle de mai/10).

Désavantages: Si le prix du titre baisse, la prime augmente de valeur et le rachat de l'option se traduit en une perte. Pour entrer dans cette stratégie il faut disposer d'une marge, qui, habituellement, dans le cas des actions, est d'environ 30% de la valeur du titre plus ou moins la différence entre le prix de levée et celui du titre moins la prime créditée. Le fait de posséder le nombre équivalent d'actions ne rend pas cette position couverte. Une couverture possible consiste à posseder une autre option de vente, à un prix de levée plus haut que celui de la vente initiale avec la même échéance, ou encore avec le même prix de levée et une échéance plus éloignée. De cette façon, si l'investisseur est exercé et il est obligé d'acheter les actions à 10 $ il peut à son tour exercer son option de vente achetée et revendre ainsi les actions qu'il a été forcé d'acheter. Une deuxième façon d'être couvert consiste à faire une vente initiale d'actions.

Seuil de rentabilité : à la baisse, quand le prix du titre est égal à 9 $.

Profit potentiel maximum : la prime encaissée.

Perte potentielle maximum : quand le titre tombe à zéro moins la prime créditée.

Suivi. La plus simple action à entreprendre si le titre baisse de valeur consiste à racheter l'option de vente. La décroissance de la valeur temps dans la prime est telle que souvent la perte encourue est relativement modeste.

Stratégie No 13

Vente initiale couverte d'une option de vente mai/10 à 1 $. La couverture vient de la vente initiale de 100 actions de AAA. Le prix du titre est à 10 $

Opinion sur le marché : neutre ou légèrement à la baisse.

À l'échéance la situation pourrait être une des suivantes :

Prix de AAA à l'échéance $	Profit sur AAA $	Profit sur l'option $	Profit/perte totale $
5	+5	-4	+100
6	+4	-3	+100
7	+3	-2	+100
8	+2	-1	+100
9	+1	0	+100
10	0	+1	+100
11	-1	+1	0
12	-2	+1	-100
13	-3	+1	-200
14	-4	+1	-300
15	-5	+1	-400

66

Le graphique des profits/pertes est le suivant:

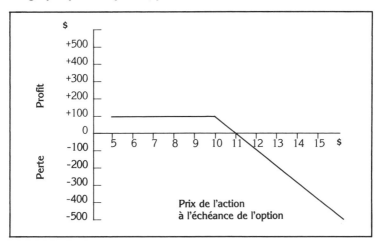

La matrice des profit/pertes est la suivante:

$\begin{bmatrix} -1 \\ +1 \end{bmatrix}$ dans le cas de la vente initiale d'actions; $\begin{bmatrix} 0 \\ -1 \end{bmatrix}$ dans celui de la vente initiale de l'option de vente. La somme des deux matrices donne: $\begin{bmatrix} -1 \\ 0 \end{bmatrix}$ On perd de l'argent à la hausse et il n'y en a pas à faire à la baisse (sauf la prime créditée).

Avantages: dans un marché neutre cette stratégie permet d'encaisser la prime de l'option.

Désavantages: elle enlève la possibilité de faire du profit à la baisse, au delà de 9$; il faut payer les dividendes si AAA en distribue.

Seuil de rentabilité: à la hausse 11$.

Profit potentiel maximum: la prime de l'option, 100$.

Perte potentielle maximum: illimitée à la hausse.

Suivi. Si le titre bouge à la baisse il faut racheter l'option. À la hausse il faut sortir de la position de vente initiale des actions, après 11$.

67

Stratégie No 14

Achat initial d'une option d'achat mai/10 avec vente initiale d'une option de vente mai/10. Cette stratégie requiert une marge pour l'option de vente. Pour simplifier les calculs sans rien enlever à la qualité de la stratégie on considère la prime de chaque option égale à 1 $. En réalité la prime de l'option d'achat est généralement supérieure à celle de l'option de vente quand on est au-milieu.

Opinion sur le marché : à la hausse.

À l'échéance de l'option, la situation pourrait être une des suivantes :

Prix de AAA à l'échéance $	Profit sur l'opt. d'achat $	Profit sur l'opt. de vente $	Profit/perte totale $
5	-1	-4	-500
6	-1	-3	-400
7	-1	-2	-300
8	-1	-1	-200
9	-1	0	-100
10	-1	+1	0
11	0	+1	+100
12	+1	+1	+200
13	+2	+1	+300
14	+3	+1	+400
15	+4	+1	+500

Le graphique des profits/pertes est le suivant :

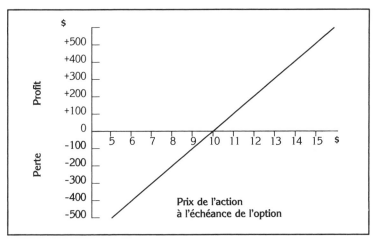

La matrice des profits/pertes est la suivante :

$\begin{bmatrix} +1 \\ 0 \end{bmatrix}$ dans le cas de l'option d'achat et $\begin{bmatrix} 0 \\ -1 \end{bmatrix}$ dans le cas de l'option de vente. La somme des deux matrices est $\begin{bmatrix} +1 \\ -1 \end{bmatrix}$

Cette matrice est égale à celle de l'achat de 100 actions de AAA.

Avantages : cette stratégie correspond à l'achat de 100 actions de AAA, sans en payer le prix, parce que, dans ce cas, la somme des deux primes, une débitée et l'autre créditée, donne zéro.

Désavantages : si la compagnie distribue des dividendes l'investisseur ne les percevra pas. À l'échéance des deux options, cet achat synthétique du titre AAA prend fin, alors que la possession du titre perpétue la possibilité de profits dans l'avenir.

Seuil de rentabilité : 10 $.

Profit potentiel maximum : illimité.

Perte potentielle maximum: si le titre tombe à zéro.

Suivi. Si le titre baisse et l'investisseur a la conviction que la baisse va se poursuivre, la plus simple alternative consiste à racheter l'option de vente.

Stratégie No 15

Achat initial d'une option de vente mai/10 et vente initiale d'une option d'achat mai/10 de AAA quand le titre se transige à 10 $. Pour simplifier l'exemple on considère la prime de chaque option égale à 1 $.

Opinion sur le marché: à la baisse.

À l'échéance de l'option, la situation pourrait être une des suivantes:

Prix de AAA à l'échéance $	Profit sur l'opt. de vente $	Profit sur l'opt. d'achat $	Profit/perte totale $
5	+4	+1	+500
6	+3	+1	+400
7	+2	+1	+300
8	+1	+1	+200
9	0	+1	+100
10	-1	+1	0
11	-1	0	-100
12	-1	-1	-200
13	-1	-2	-300
14	-1	-3	-400
15	-1	-4	-500

Le graphique des profits/pertes de cette stratégie est:

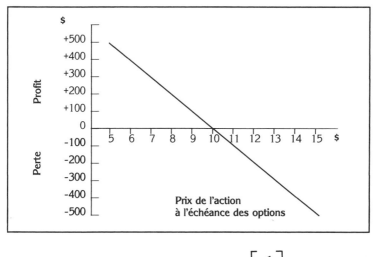

La matrice pour cette stratégie est: $\begin{bmatrix} -1 \\ +1 \end{bmatrix}$

L'investisseur fait de l'argent à la baisse du titre et il en perd à la hausse, exactement comme s'il avait vendu le titre à découvert.

Avantages: par rapport à la vente à découvert d'un nombre équivalent d'actions (100) l'investisseur ne doit pas, ici, payer des dividendes si AAA en distribue dans la période dans laquelle cette position est ouverte et, surtout, le coût de cette position est sensiblement inférieur à celui de la position équivalente en actions parce que le capital à engager sous la forme de marge est environ 30% de la valeur du titre AAA, alors que la vente à découvert peut impliquer une marge non inférieure à 150% de la valeur de AAA.

Désavantages: par rapport à la vente à découvert des actions, les options ont une date d'expiration à laquelle cette stratégie prend fin. L'investisseur doit, à ce point, faire un roulement en avant, c'est-à-dire prendre des positions dans des options équivalentes dont le prix de levée peut être le

71

même ou différent de celui de la stratégie initiale mais dont la date d'expiration est plus éloignée.

Profit potentiel maximum : limité à la perte totale de valeur de AAA, c'est-à-dire 1 000 $ par paire d'options.

Risque potentiel maximum : illimité parce que la valeur de AAA peut monter sans limites.

Suivi. Si la valeur AAA baisse et, avant l'échéance, tend à remonter, l'investisseur a tout intérêt à se débarrasser de sa stratégie et empocher son profit ou encore il peut racheter son option d'achat vendue. Si AAA monte et tend à créer des pertes, l'investisseur pourrait racheter l'option d'achat vendue et laisser la valeur de l'option de vente s'effriter.

Variante à cette stratégie : vente initiale d'une option d'achat et achat initial d'une option de vente sur le même titre avec le même mois d'échéance mais avec des prix de levée différents, de sorte que le prix du titre se retrouve entre les deux ou à un des deux. Les caractéristiques de cette stratégie sont semblables à celles de cette stratégie.

Stratégie No 16

Achat initial d'une option d'achat mai/10 et achat initial d'une option de vente mai/10. On considère les deux primes égales à 1,00 $ chacune et le titre est à 10 $. Il s'agit donc d'une stratégie au milieu.

Opinion sur le marché : on s'attend à un grand mouvement dans le prix du titre mais on est indécis à savoir s'il sera à la hausse ou à la baisse.

À l'expiration des options, la situation pourrait être une des suivantes :

Prix de AAA à l'échéance $	Profit sur l'opt. d'achat $	Profit sur l'opt. de vente $	Profit/perte totale $
5	-1	+4	+300
6	-1	+3	+200
7	-1	+2	+100
8	-1	+1	0
9	-1	0	-100
10	-1	-1	-200
11	0	-1	-100
12	+1	-1	0
13	+2	-1	+100
14	+3	-1	+200
15	+4	-1	+300

Le graphique de cette stratégie :

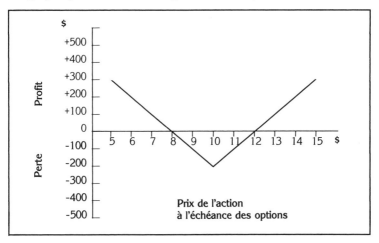

La matrice des profits/pertes est la suivante :

$\begin{bmatrix} +1 \\ 0 \end{bmatrix}$ dans le cas de l'option d'achat et $\begin{bmatrix} 0 \\ +1 \end{bmatrix}$ dans le cas de l'option de vente. La somme des deux matrices donne : $\begin{bmatrix} +1 \\ +1 \end{bmatrix}$

La lecture de cette matrice nous indique qu'il y a de l'argent à faire à la hausse comme à la baisse du titre et qu'il n'y en a pas à faire si le titre ne bouge pas.

Avantages : n'ayant aucune idée du prochain mouvement du titre mais en supposant que le mouvement sera violent, à la hausse ou à la baisse, cette stratégie permet de faire du profit à la hausse comme à la baisse.

Désavantages : il faut que le titre soit très volatile pour que la stratégie soit rentable. Si le tire bouge peu ou pas du tout dans la période allouée à cette stratégie, l'investisseur est perdant.

Seuil de rentabilité : le prix du titre plus ou moins la somme des deux primes. Dans notre cas, il s'agit de 8 $ et 12 $.

Avantage de cette stratégie : avoir du profit dans les deux directions du marché.

Profit potentiel maximum : à la hausse illimité, à la baisse limité à une baisse à zéro de la valeur du titre.

Risque potentiel maximum : limité aux deux primes payées, dans notre cas, 200 $.

Volatilité : Cette stratégie ne s'applique que dans les cas où l'investisseur est convaincu que la volatilité du titre est suffisamment élevée pour lui consentir un profit. Si la volatilité historique annuelle du titre est 0,50 et si l'échéance des options arrive dans 3 mois (0,25 d'une année) la volatilité d'un quart d'année est : $0,50 \times \sqrt{0,25}$ = 0,50 x 0,50 = 0,25. Ceci indique qu'il existe environ 68 % de probabilités que le prix du titre se situe dans trois mois entre 10 $ (le prix actuel) plus ou moins le 25 % de 10 $, c'est-à-dire entre 12-4 $ et 7-4 $. Puisque les seuils de rentabilité du titre sont 12 et 8 $, on s'aperçoit qu'une volatilité annuelle de 0,50 est à peine suffisante pour affirmer qu'il y a la possibilité d'un profit modeste (50 $ par double option).

Stratégie No 17

Vente initiale d'une option d'achat mai/10, et vente initiale d'une option de vente mai/10, quand le titre AAA est à 10 $.

Opinion sur le marché : neutre.

À l'échéance de l'option, la situation pourrait être une des suivantes :

Prix de AAA à l'échéance $	Profit sur l'opt. d'achat $	Profit sur l'opt. de vente $	Profit total $
5	+1	-4	-300
6	+1	-3	-200
7	+1	-2	-100
8	+1	-1	0
9	+1	0	+100
10	+1	+1	+200
11	0	+1	+100
12	-1	+1	0
13	-2	+1	-100
14	-3	+1	-200
15	-4	+1	-300

Le graphique de cette stratégie :

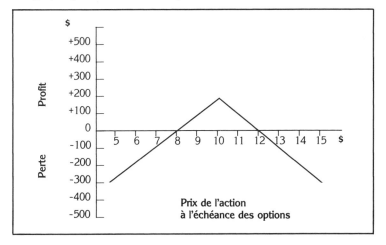

La matrice de cette stratégie est :

$\begin{bmatrix} -1 \\ 0 \end{bmatrix}$ dans le cas de l'option d'achat : $\begin{bmatrix} 0 \\ -1 \end{bmatrix}$ dans le cas de l'option de vente. L'addition des deux matrices donne : $\begin{bmatrix} -1 \\ -1 \end{bmatrix}$

La conclusion : l'investisseur ne peut pas faire de l'argent si le titre bouge à la hausse comme à la baisse. Le profit découlera des primes si le titre ne bouge pas ou très peu.

Avantages : dans le cas d'un marché neutre (pendant au moins les trois quarts du temps boursier, les prix n'ont pas de mouvements significatifs), l'investisseur peut profiter de cette situation pour empocher la valeur des primes.

Désavantage : si le prix bouge, à la baisse comme à la hausse, le profit potentiel s'effrite rapidement. Chaque option exige une marge.

Risque potentiel maximum : illimitée à la hausse ; limité à la perte totale de valeur du titre à la baisse. Risque d'être exercé sur les deux options.

Profit potentiel maximum : la somme des deux primes (200 $) si les options expirent quand la valeur du titre est égale à celle de levée (10 $).

Seuil de rentabilité : le prix de levée plus ou moins la somme des deux primes. Dans notre cas 8 $ et 12 $.

Stratégie No 18

Achat de 100 actions de AAA à 10 $ chacune et achat d'une option de vente mai/10 à 1,00 $.

Opinion sur le marché : l'investisseur craint, une fois qu'il a acheté les actions de AAA, que leur prix, au lieu de monter, puisse descendre.

À l'échéance de l'option la situation pourrait être une des suivantes :

Prix de AAA à l'échéance $	Profit sur l'action $	Profit sur l'option $	Profit/perte totale $
5	-5	+4	-100
6	-4	+3	-100
7	-3	+2	-100
8	-2	+1	-100
9	-1	0	-100
10	0	-1	-100
11	+1	-1	0
12	+2	-1	+100
13	+3	-1	+200
14	+4	-1	+300
15	+5	-1	+400

Le graphique des profits/pertes se lit comme suit :

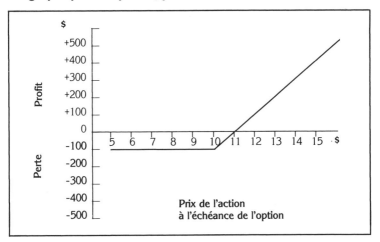

La matrice des profits/pertes est la suivante :

$\begin{bmatrix} +1 \\ -1 \end{bmatrix}$ pour l'achat des actions et $\begin{bmatrix} 0 \\ +1 \end{bmatrix}$ pour l'option de vente. La somme des deux matrices donne : $\begin{bmatrix} +1 \\ 0 \end{bmatrix}$

Conclusion : il y a de l'argent à faire à la hausse et il n'y en a pas à perdre en cas de baisse.

77

Avantages : Cette stratégie permet de limiter les pertes qu'un investisseur subirait s'il n'était pas protégé par l'option dans le cas d'une baisse du marché.

Désavantages : Dans un marché haussier, le seuil de rentabilité est placé plus haut, à cause de la prime payée, que dans le cas du seul achat des actions.

Profit potentiel maximum : illimité.

Perte potentielle maximum : la prime payée pour acheter l'option de vente.

Stratégie No 19

Une variante de la stratégie no 17. Vente initiale d'une option de vente mai/7-4 et vente initiale d'une option d'achat mai/12-4, quand le titre AAA se trouve à 10 $. Les deux options sont donc en dehors. Leur prime est de 1,00 $.

Opinion sur le marché : neutre dans un sens plus large que dans le cas de la stratégie no 17.

À l'échéance des options, la situation pourrait être une des suivantes :

Prix de AAA à l'échéance $	Profit sur l'opt. d'achat $	Profit sur l'opt. de vente $	Profit total $
5	+1	-1,50	-50
6	+1	-0,50	+50
7-4	+1	+1	+200
8	+1	+1	+200
9	+1	+1	+200
10	+1	+1	+200
11	+1	+1	+200
12-4	+1	+1	+200
13	+0,50	+1	+150
14	-0,50	+1	+50
15	-1,50	+1	-50

Le graphique :

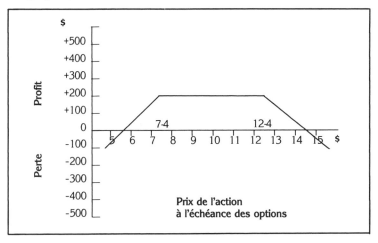

La matrice de cette stratégie est la même que celle de la stratégie no 17 :
$$\begin{bmatrix} -1 \\ -1 \end{bmatrix}$$

Avantages : par rapport à la stratégie no 17, celle-ci offre plus de possibilités que le prix du titre ne sorte pas des limites de profitabilité déterminées par les deux prix de levée.

Désavantages : les mêmes que ceux de la stratégie précédente. Dans cette variante, toutefois, il y a moins de risques parce que l'écart entre les deux seuils de rentabilité est plus large.

Seuil de rentabilité : le prix de levée de l'option d'achat plus la somme des deux primes dans le cas d'un marché haussier (14-4 $) ; le prix de l'option moins le prix de levée dans le cas de l'option de vente (5-4 $).

Profit potentiel maximum : la somme des deux primes (200 $ par double option).

Risque potentiel : illimité, comme dans la stratégie no 17 mais avec moins de probabilité de rejoindre les limites parce que l'écart de profitabilité est plus large que celui de la stratégie précédente.

Commentaire : Cette stratégie est à recommander pour les titres ou les indices riches en valeur temps dans leur prime. Naturellement, la surveillance doit être constante.

Stratégie No 20

Achat d'une option d'achat mai/10 et vente initiale d'une option d'achat mai/12-4 avec le titre AAA à 10 $. Cette stratégie s'appelle opération mixte verticale à la hausse. La prime de mai/10 est de 1,50 $; celle de mai/12-4 à 0,50 $.

Opinion sur le marché : à la hausse, sans croire que le titre ait la capacité de « s'en aller au ciel ».

À l'échéance, la situation pourrait être une des suivantes :

Prix de AAA à l'échéance $	Profit sur mai/10 $	Profit sur mai/12-4 $	Profits/pertes totales $
6	-1,50	+0,50	-100
7	-1,50	+0,50	-100
8	-1,50	+0,50	-100
9	-1,50	+0,50	-100
10	-1,50	+0,50	-100
11	-0,50	+0,50	0
12	+0,50	+0,50	+100
12-4	+1	+0,50	+150
13	+1,50	0	+150
14	+2,50	-1	+150
15	+3,50	-2	+150
16	+4,50	-3	+150

Le graphique des profits/pertes est le suivant:

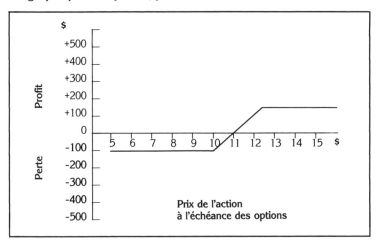

La matrice de cette stratégie est la suivante:

$\begin{bmatrix} +1 \\ 0 \end{bmatrix}$ dans le cas de l'option d'achat achetée: $\begin{bmatrix} -1 \\ 0 \end{bmatrix}$ dans l'option d'achat vendue.

La somme des deux matrices donne: $\begin{bmatrix} 0 \\ 0 \end{bmatrix}$

Sa lecture nous dit qu'il n'y a pas d'argent à faire si le marché est à la hausse, neutre ou à la baisse. Ce qui est vrai, mais il faut apporter des nuances.

Avantages: la vente initiale de l'option d'achat mai/12-4 finance une partie de l'achat de l'option d'achat mai/10 parce que la vente initiale offre un crédit de 50 $ et réduit donc à 100 $ le déboursé total (plus les commissions), au lieu de 150 $ (plus la commission). Si le titre baisse au-dessous de 10,00 $, la vente initiale offre un coussin de protection qui baisse le seuil de rentabilité et la perte maximum est limitée au débit net.

Désavantages: si le titre monte au-dessus de 12-4 $ (le prix de levée le plut haut), le profit ne pourra pas augmenter parce que les pertes sur l'option d'achat vendue annulent les gains faits par l'option d'achat achetée.

Seuil de rentabilité : à la hausse, il est égal au prix de levée le plus bas des deux plus la prime nette. Dans notre cas, il correspond à 11,00 $ (10,00 $ + 1,00 $).

Profit potentiel maximum : la différence des deux prix de levée moins le débit net (250 $- 100 $ = 150 $).

Risque potentiel maximum : la prime nette payée (100 $), peu importe où le titre se trouve à la baisse.

Suivi Si le titre monte au-dessus de 12-4 $ et il semble avoir un potentiel à la hausse encore plus grand, une solution consiste à faire un « roulement » à la hausse, c'est-à-dire vendre mai/10, acheter 2 mai/12-4 et vendre mai/15 ; de cette façon, l'investisseur se retrouve avec la même stratégie mais à deux prix de levée plus hauts (achat de mai/12 et vente de mai/15) : il a empoché le profit de la position précédente et, avec environ le même capital, il a une nouvelle position avec un nouveau potentiel de profit.

Si le titre baisse au-dessous du prix auquel il était quand l'opération mixte a été établie et s'il semble vouloir remonter, l'investisseur peut racheter l'option d'achat vendue, puisque son prix est descendu, et il reste avec l'option d'achat achetée qui reprendra de la valeur quand le titre remontera. Il faut naturellement tenir compte des coûts de commission.

Commentaires : il existe trois sortes d'opérations mixtes verticales à la hausse : agressives, très agressives et peu agressives. Une opération mixte agressive est celle décrite plus haut : l'option d'achat achetée est au milieu et l'option vendue est en dehors. Le potentiel de croissance du titre pour rejoindre le prix de levée le plus haut (12-4 $) est grand et le coût des primes est encore modéré.

L'opération mixte très agressive est établie quand les deux options sont en dehors. Le coût est bas, mais la possibilité de faire du profit est liée à un plus grand mouvement à la hausse du prix du titre. L'opération mixte peu agressive est celle dans laquelle les deux options sont en dedans ; il est plus facile de réaliser du profit que dans le premier cas, mais son maximum est inférieur.

Stratégie No 21

Opération mixte verticale à la baisse avec options de vente. Achat initial d'une option de vente mai/10 à 1,50 $ et vente initiale d'une option de vente mai/7-4 à 0,50 $. Le titre AAA est à 10,00 $.

Opinion sur le marché : à la baisse.

À l'échéance des options, la situation pourrait être une des suivantes :

Prix de AAA à l'échéance $	Profit sur l'opt. achetée $	Profit sur l'opt. vendue $	Profit total $
4	+4,50	-3	+150
5	+3,50	-2	+150
6	+2,50	-1	+150
7-4	+1	+0,50	+150
8	+0,50	+0,50	+100
9	-0,50	+0,50	0
10	-1,50	+0,50	-100
11	-1,50	+0,50	-100
12	-1,50	+0,50	-100
13	-1,50	+0,50	-100
14	-1,50	+1,50	-100

Le graphique de cette stratégie :

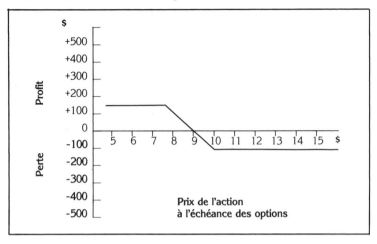

La matrice de cette stratégie est :

$\begin{bmatrix} 0 \\ +1 \end{bmatrix}$ dans le cas de l'option de vente achetée et $\begin{bmatrix} 0 \\ -1 \end{bmatrix}$ dans le cas de l'option de vente vendue. La somme des deux matrices

donne : $\begin{bmatrix} 0 \\ 0 \end{bmatrix}$

La conclusion : il n'y a pas d'argent à faire à la baisse au-dessous du prix de levée plus bas et il n'y a pas d'argent à perdre à la hausse, à part la prime nette payée.

Avantage : cette stratégie, grâce au crédit de la vente initiale, permet un déboursé mineur, moindre que celui du simple achat de l'option de vente.

Désavantage : si l'action de AAA baisse au-dessous du prix de levée inférieur, la possibilité de profit ne peut pas augmenter plus.

Risque potentiel maximum : la prime nette payée.

Profit potentiel maximum : la différence des deux prix de levée moins la prime nette payée (2,50 $ - 1,00 $ = 1,50 $).

Seuil de rentabilité : le prix de levée le plus bas des deux plus le profit maximum (7,50 $ + 1,50 $ = 9 $)

Stratégie No 22

Achat initial d'une option d'achat août/10 et vente initiale d'une option d'achat mai/10 avec le titre à 10 $. Cette stratégie ressemble à celle selon laquelle, après avoir acheté des actions, on se protège dans un marché légèrement à la baisse ou à la hausse, ou neutre, avec la vente initiale d'une option d'achat sur le même titre. La perte de la valeur temps de l'option dans un marché neutre ou à la baisse compense le manque de gain de l'option à long terme, dont la valeur temps, s'effrite beaucoup moins vite.

Opinion sur le marché : neutre ou légèrement à la baisse jusqu'à l'échéance de l'option vendue, pour ensuite compter sur un marché haussier. De cette façon, l'option vendue expire sans valeur et l'option achetée augmente de valeur.

Stratégie No 23

La même que la précédente, sauf que l'option vendue est à un prix de levée plus haut (12-4): de cette façon, le risque que le titre, à court terme, puisse prendre de la valeur plutôt que d'en perdre en faisant augmenter la prime de l'option vendue, est moins grand.

Stratégie No 24

Achat initial d'une option d'achat mai/10 au coût de 1,00 $ et vente de 3 options d'achat mai/12-4 à 0,50 $ chacune. Le titre AAA est à 10 $. La stratégie est à crédit de 0,50 $.

Opinion sur le marché : légèrement à la baisse, neutre ou à la hausse.

À l'échéance de l'option, la situation pourrait être une des suivantes :

Prix de AAA à l'échéance $	Profit sur l'opt. achetée $	Profit sur 3 opt. vendues $	Profit/perte totale $
5	-1	+1,50	+50
6	-1	+1,50	+50
7	-1	+1,50	+50
8	-1	+1,50	+50
9	-1	+1,50	+50
10	-1	+1,50	+50
11	0	+1,50	+150
12	+1	+1,50	+250
12-4	+1,50	+1,50	+300
13	+2	0	+200
14	+3	-3	0
15	+4	-6	-200
16	+5	-9	-400

Le graphique des profits/pertes est le suivant :

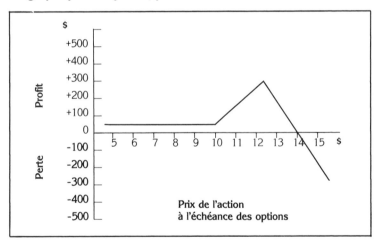

La matrice de cette stratégie est :

$\begin{bmatrix} +1 \\ 0 \end{bmatrix}$ pour l'option d'achat achetée et $\begin{bmatrix} -3 \\ 0 \end{bmatrix}$ pour les trois options vendues: La matrice finale est: $\begin{bmatrix} -2 \\ 0 \end{bmatrix}$

Son interprétation : il n'y a pas d'argent à faire à la baisse (sauf le crédit initial) et il y a double perte à subir si le prix de AAA monte (au-delà de 12-4 $).

Avantages : le crédit initial reste dans la poche de l'investisseur si le titre baisse ou reste neutre et il y a du profit additionnel à faire si le titre monte jusqu'au-delà du prix de levée le plus élevé des deux.

Désavantages : si le titre monte au-dessus du prix de levée supérieur, la possibilité de profits s'effrite rapidement pour laisser la place à une perte grandissante, si l'investisseur ne sort pas à temps de sa position.

Risque potentiel maximum: illimité à la hausse, une fois dépassé le prix de levée supérieur.

Profit potentiel maximum: l'écart entre les deux prix de levée moins la prime payée plus le crédit venant de la vente initiale (2,50 $ - 1,00 $ + 1,50 $ = 3,00 $).

Seuil de rentabilité : prix de levée le plus élevé plus le rapport obtenu en divisant le profit maximum par la différence entre le nombre d'options vendues et celui acheté (12,50 $ + 3$/2 = 14 $).

Stratégie No 25

Achat initial d'une option d'achat mai/7-4 à 3 $, vente initiale de deux options d'achats mai/10 à 1 $ et achat initial d'une option d'achat mai/12-4 à 0,50 $. Le titre se trouve à 10 $. L'investisseur débourse pour cette stratégie 150 $ (plus les commissions).

Opinion sur le marché : neutre, mais avec une certaine crainte que le marché puisse prendre une orientation, d'ici à l'échéance des options.

À l'échéance des options, la situation pourrait être une des suivantes :

Prix de AAA à l'échéance $	Profit mai/7-4 $	Profit 2 mai/10 $	Profit mai/12-4 $	Profit/perte totale $
5	-3	+2	-0,50	-150
6	-3	+2	-0,50	-150
7-4	-3	+2	-0,50	-150
8	-2,50	+2	-0,50	-100
9	-1,50	+2	-0,50	0
10	-0,50	+2	-0,50	+100
11	+0,50	0	-0,50	0
12-4	+2	-3	-0,50	-150
13	+2,50	-4	0	-150
14	+3,50	-6	+1,00	-150
15	+4,50	-8	+2,00	-150

Le graphique des profits/pertes de cette stratégie :

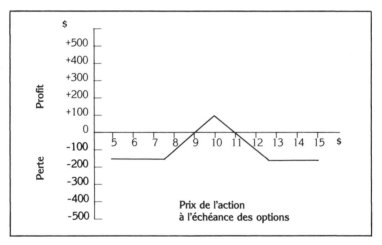

La matrice des profits/pertes :

$\begin{bmatrix} +2 \\ 0 \end{bmatrix}$ pour les deux options achetées et $\begin{bmatrix} -2 \\ 0 \end{bmatrix}$ pour les deux options vendues. La somme des deux matrices donne : $\begin{bmatrix} 0 \\ 0 \end{bmatrix}$

Conclusion : Pas d'argent à faire à la hausse ni à la baisse. C'est vrai, mais aux conditions suivantes :

Avantage : possibilité de profit si le marché ne bouge pas ou peu.

Désavantages : coût des commissions ; marge requise pour une option vendue (l'autre étant couverte par l'option dont le prix de levée est plus bas).

Profit potentiel maximum : la différence entre un des deux prix de levée extrêmes (12-4 ou 7-4) et le prix de levée intermédiaire moins la prime nette payée (1,5), c'est-à-dire 10 $.

Risque potentiel maximum : la prime nette payée.

Seuil de rentabilité à la hausse : le prix de levée plus haut moins la prime nette payée.

Seuil de rentabilité à la baisse : le plus bas prix de levée plus la prime nette payée.

BON DE COMMANDE

Je désire recevoir .... exemplaires du livre
«Les options sur titres boursiers, 25 stratégies de base»

soit .... × **99 FF** = ... **FF**

+ franc de port .... × **12 FF** = ... **FF**

TOTAL: .... **FF**

Nom: --

Entreprise: --

Adresse: ---

à adresser, **10, rue de l'Ouest**
75014 Paris
(chèques à l'ordre de SÉFI)

Pour tous renseignements, téléphoner au
(1) 46 02 89 26 (Mme PLANE, relations commerciales)
(1) 43 21 97 73 (M. Folliet)

(Prix réduits pour les commandes groupées)

À paraître sous peu:

L'analyse technique
par Charles K. Langford

(Commandes groupées disponibles maintenant)